COLLECTANEA SERICA
Herausgegeben von ROMAN MALEK, S.V.D.
Institut Monumenta Serica • Sankt Augustin

KARL JOSEF RIVINIUS

Das Collegium Sinicum zu Neapel
und seine Umwandlung in ein Orientalisches Institut
Ein Beitrag zu seiner Geschichte

Matteo Ripa (1682–1745)

Karl Josef Rivinius

Das Collegium Sinicum zu Neapel und seine Umwandlung in ein Orientalisches Institut

Ein Beitrag zu seiner Geschichte

COLLECTANEA SERICA

Institut Monumenta Serica • Sankt Augustin • 2004

Sumptibus Societatis Verbi Divini (S.V.D.)

Die Meinungen, die in *Collectanea Serica* artikuliert werden, stellen die Auffassung des jeweiligen Autors und nicht unbedingt des Instituts Monumenta Serica bzw. des Herausgebers der Reihe dar. Die Verantwortung für die hier geäußerten Meinungen und für die Genauigkeit der Angaben tragen allein die jeweiligen Verfasser.

Die Deutsche Bibliothek verzeichnet diese Publikation in der Deutschen Nationalbibliographie; detaillierte bibliographische Daten sind im Internet abrufbar.
http://dnb.ddb.de

Lektorat: ROMAN MALEK, PETER RAMERS, EVELINE WARODE

Umschlag und Layout: ROMAN MALEK

Druck: Drukkerij Steijl B.V.

Distribution: STEYLER VERLAG
Postfach 2460, D-41311 Nettetal, Germany
Fax: (02157) 12 02 22
E-Mail: steyl.buch@t-online.de

ISBN 3-8050-0498-2

Inhaltsverzeichnis

Anlage

Facsimile

Abbildung

Vorwort

Auf ein an das China-Zentrum in Sankt Augustin - es ist im Jahr 1988 von einigen Mitgliedern des Deutschen Katholischen Missionsrats als eingetragener Verein gegründet worden und dient der Förderung von Begegnung und Austausch zwischen den Kulturen und Religionen im Westen und in China - gerichtetes Ersuchen chinesischer Bischöfe hin gibt es seit 1993 an der Philosophisch-Theologischen Hochschule SVD St. Augustin (Theologische Fakultät) ein Projekt, das Seminaristen aus der Volksrepublik China die Möglichkeit bietet, hier mit einer Theologie, die sich dem Zweiten Vatikanischen Konzil verpflichtet weiß, bekannt zu werden, um nach dem Studienabschluß in ihrer Heimat in der Priesterausbildung tätig zu werden oder andere wichtige Aufgaben im kirchlichen Bereich wahrzunehmen. Trotz der damit gegebenen arbeitsmäßigen Mehrbelastung fand sich das Kollegium von St. Augustin gern bereit, dem bischöflichen Anliegen als Dienst an der Ortskirche Chinas zu entsprechen, der sich die Steyler durch ihre frühere Tätigkeit in diesem Land - es war ihr erstes und größtes Missionsgebiet - besonders verbunden fühlen.

Was als Experiment begonnen wurde, kann inzwischen als geglückt bezeichnet werden, wenngleich es aufgrund der unterschiedlichen Kulturen, Mentalitäten und Sprachen, der Verschiedenheit der ethnischen und familialen Herkünfte, der Erziehung sowie der Differenzen in Charakter und Lebensführung immer wieder diverse Schwierigkeiten sensibel und vorurteilsfrei zu meistern gilt: eine nicht leichte Aufgabe. Der Umgang mit den aus einem fremden Kulturraum stammenden Menschen wie auch deren Begegnung mit den Einheimischen müssen stets neu gelernt, internalisiert und praktiziert werden. Das Bemühen geht dahin, daß daraus eine Art multikultureller Kompetenz entsteht, die das Zusammenleben und Miteinander hier am Ort wie auch sonstwo erleichtern hilft, so daß die jeweilige Andersartigkeit und Fremdheit nicht als Bedrohung, sondern als Normalität angesehen und ein Klima aufrichtiger Toleranz gefördert wird.

Gegenwärtig studieren an der Hochschule St. Augustin sechzehn chinesische Seminaristen, ferner vier chinesische Schwestern. Mittlerweile haben mehrere der chinesischen Priesteramtskandidaten das Diplom und das Lizentiat in Theologie erworben; einige von ihnen üben in ihrer Heimat eine Lehrtätigkeit in Priesterseminaren aus, andere arbeiten in der bischöflichen Verwaltung oder im pastoralen Bereich.

Als ich vor einiger Zeit Recherchen im Vatikanarchiv in Rom und im Bayerischen Hauptstaatsarchiv in München durchführte, stieß ich auf Schriftstücke, die das Kolleg der Chinesen von Neapel zum Gegenstand haben und die mich vor dem Hintergrund der in St. Augustin gemachten Erfahrungen mit der Ausbildung der chinesischen Alumnen sehr interessierten. In jenem Institut sind nach dem Willen seines Gründers, Matteo Ripa (1682–1745), der sich als Weltpriester der *Propaganda*-Kongregation für die Mission in China zur Verfügung gestellt hatte, einhundertfünfzig Jahre lang chinesische Alumnen auf den Priesterberuf vorbereitet worden, um nach Vollendung der Studien in ihrer Heimat im Dienst an der Evangelisierung tätig zu werden. Obgleich die jeweiligen Zeitkontexte, die politische, wirtschaftliche, gesellschaftliche und kulturelle Realität sehr verschieden gewesen sind – Ripa wirkte am Kaiserhof zu Peking während des Ritenstreits, in dessen Verlauf die Missionierung auf kaiserliche Weisung hin verboten wurde –, so gibt es, unter formalen und missionsmethodischen Aspekten betrachtet, doch gewisse Parallelen zum Ziel und Zweck der Ausbildung der chinesischen Priesteramtskandidaten in St. Augustin. Denn auch heute sehen sich die Christen in China, vor allem Angehörige der sogenannten Untergrundkirche, erneut Verfolgungen, mancherlei Repressionen und menschenverachtenden Schikanen ausgesetzt. Ausländischen Missionaren ist der Aufenthalt in China verboten, und jedes priesterliche Wirken wird, falls sie es dessenungeachtet insgeheim wagen und dabei ertappt werden, streng geahndet. Um so wichtiger ist deshalb die zur Zeit politisch erlaubte Ausbildung junger Chinesen zu Priestern im Ausland, damit sie sich danach in ihrer Heimat dem Dienst und den vielfältigen Aufgaben in der Kirche widmen können. Das ist um so notwendiger, als es gegenwärtig der katholischen Kirche in China weitgehend an wissenschaftlich ausgebildeten Priestern und auch Laien fehlt, die sich angesichts des Phänomens der „Kulturchristen" in der jetzt möglich gewordenen akademischen Diskussion kompetent zu Wort melden könnten.

Zum Schluß danke ich herzlich meinem früheren Kollegen in Münster, Herrn Dr. Werner Promper, für die akribische und kritische Durchsicht des Manuskripts und meinem Mitbruder P. Prof. Dr. Joachim G. Piepke für Hilfen beim Übertragen älterer italienischer Texte, ferner schulde ich aufrichtigen Dank meinem Mitbruder P. Prof. Dr. Roman Malek sowie den Damen und Herren im Institut Monumenta Serica für das Eliminieren von Unkorrektheiten und die sorgfältige formale Gestaltung der Endfassung.

P. Karl Josef Rivinius

Erstes Kapitel
Prolegomena zur Missionsgeschichte Chinas

1.
Zur Evangelisierung im „Reich der Mitte" von den Anfängen bis zum Spätmittelalter

Versuche, China für die christliche Glaubensdoktrin zu gewinnen, reichen bis in die Frühzeit der Kirche zurück.[1] Nach einer historisch allerdings nicht belegbaren Überlieferung soll bereits der Apostel Thomas dort die Frohbotschaft verkündet haben;[2] doch die Genese der Ausbreitung des Christentums in diesem ostasiatischen Land bleibt letztlich in Dunkel gehüllt. Dagegen steht fest, daß der christliche Glauben durch monophysitische Nestorianer nach China gelangt ist,[3] wo er vermutlich die Kultur und Gesellschaft lediglich an

---

1 An orientierender Literatur: F. Nau, *L'expansion nestorienne en Asie*; A. Mingana, *The Early Spread of Christianity in Central Asia and the Far East*; J. Richter, *Das Werden der christlichen Kirche in China*; K.S. Latourette, *A History of Christian Missions in China*, (Lit.); A.Chr. Moule, *Christians in China before the Year 1550*; J. Thauren, *Die missionarische Tragik von Ephesus*; E. Tisserant, „L'Eglise nestorienne", bes. 199-218; A. Mulders, *Missionsgeschichte*; Chr.W. Troll, „Die Chinamission im Mittelalter"; Ch.P. Fitzgerald, *Die Chinesen*; ders., *China*; H. Steininger, „Die Begegnung des abendländischen Christentums mit der Kultur Chinas im Mittelalter und der frühen Neuzeit"; W. Bauer (Hrsg.), *China und die Fremden*; W. Eberhard, *Geschichte Chinas*; J. Gernet, *Die chinesische Welt*; R. Goepper (Hrsg.), *Das alte China*; J.K. Fairbank, *China*; H. Schmidt-Glintzer, *China: Vielvölkerstaat und Einheitsstaat*; ders., *Geschichte Chinas bis zur mongolischen Eroberung (ca. 250 v.Chr. - 1279 n. Chr.)*; B. Staiger (Hrsg.), *Länderbericht China*; O. Franke, *Geschichte des Chinesischen Reiches*; N. Standaert (ed.), *Handbook of Christianity in China*. Volume one: *635–1800*.

2 J. Tubach, „Der Apostel Thomas in China".

3 Auf dem Konzil von Ephesus im Jahr 431 hatte Nestorius, der Patriarch von Konstantinopel, erklärt, daß Christus mit Gott nicht wesensgleich sei, vielmehr bloß die menschliche Natur besitze und seine Mutter Maria folglich nicht als Gottesgebärerin gelte. Damit widersprach er der orthodoxen Lehre der Kirche. Er wurde verurteilt und nach Ägypten verbannt. Seine Anhänger, denen man nach dem Leben trachtete, bedrohten sie doch mit ihrer häretischen Auffassung die Reichseinheit, flohen ins Sassanidenreich und/oder in andere für sie ungefährliche Regionen. Bereits vor dem Konzil von Ephesus hatten sich die Christen in Ostsyrien und in Persien, deren Gemeinden schon um das Jahr 100 entstanden waren, auf der Synode von Seleukia-Ktesiphon (410) unter dem Druck der Sassanidenherrscher von der Reichskirche losgesagt und eigene kirchliche Strukturen gebildet. Auf der Synode von Markabata (424) wurde ein vom

den Randzonen beeinflußt hat. Nestorianische Missionare hatten die christliche Doktrin auf Handelsstraßen von Mesopotamien nach Ostasien gebracht, wo sie unter dem persischen Bischof Alopen, der 635 in der damaligen chinesischen Hauptstadt Chang'an (heute Xi'an) eintraf, in den Provinzen Shanxi und Fujian Fuß zu fassen vermochte. Ein Edikt aus dem Jahr 638 von Kaiser Taizong, dem zweiten Herrscher der Tang-Dynastie (618–907) – sie war das erste chinesische Vielvölkerimperium, das sich bis nach Innerasien erstreckte –, gestattete den Nestorianern im gesamten Reich ungehinderte Bewegungsfreiheit. Damit begann eine zwei Jahrhunderte dauernde Blütezeit des Christentums. Die Missionare gründeten etliche Christengemeinden, die in manchen Regionen noch zur Zeit der Mongolenherrschaft existierten. Christen bekleideten höchste Staatsämter und erfreuten sich großen Ansehens. Im Jahr des vorerwähnten Edikts soll es in Xi'an das erste nestorianische Gotteshaus gegeben haben.[4] Dank einer funktionierenden Hierarchie blieb der Transfer zwischen Heimatkirche und Mission großenteils gewährleistet.

Zunächst blieb die gesamte Periode des Christentums nestorianischer Provenienz im Reich der Mitte dem Abendland unbekannt.[5] Offensichtlich sahen sich die Nestorianer nicht veranlaßt, ihre Berichte – sofern sie solche über-

---

Patriarchat Antiochien unabhängiges autokephales Katholikat errichtet. Wegen der römisch-persischen Spannungen konnten die Bischöfe der Kirche des Ostens an den Konzilien von Ephesus (431) und Chalkedon (451) nicht teilnehmen. Ihr entschiedenes Bestreben zielte darauf ab, ihrer eigenen Tradition treu zu bleiben. In diesem Rahmen übernahm die ostsyrische Kirche 484 auf der Synode von Beth Lapat die christologischen Lehren des Nestorius lediglich in der gemäßigten Form seiner Lehrer mit verbalen Unterschieden zur Christologie der Reichskirche. Damit wurde die organisatorische Trennung der Kirche des Ostens auch mit dem Charakter einer verschiedenen dogmatischen Identität versehen. Fortan machte man ihr undifferenziert den Vorwurf des Nestorianismus. Ihre Bezeichnung als Nestorianisch-Assyrische Kirche stellte sie seither in eine Isolation, ungeachtet des Faktums, daß die sogenannten Nestorianer sich vordergründig nicht auf Nestorius beriefen. Im übrigen war das Anliegen der ohne Zweifel anfechtbaren Terminologie des ansonsten orthodox-traditionstreuen Nestorius auf dem Konzil von Ephesus letztlich ungeklärt geblieben. Die „Heilige Apostolische Kirche des Ostens“ avancierte bis zum 14. Jahrhundert zur ausdehnungsmäßig größten Kirche der Welt. Ihre Missionsgebiete reichten von Arabien bis Tibet, Sumatra, China und bis zur indischen Malabarküste. Ihr gehörten viele Millionen Mitglieder an, und sie wies ein blühendes monastisches Leben auf. Im einzelnen dazu: Reinhard Thöle, „Lehrkonsens erreicht“, 35f.

4 M. Grießler, *China*, 154.

5 Den sogenannten Thomas-Christen in Südindien scheint im 13. Jahrhundert bekannt gewesen zu sein, daß zahlreiche Glaubensgenossen in China lebten und Peking der Sitz eines nestorianischen Metropoliten war. Selbst noch um 1500 wußten die Südinder, daß in China einst nestorianische Bistümer existierten (J. Tubach, „Der Apostel Thomas in China“, 66f.).

haupt verfaßt hatten – an andere als an ihre Vorgesetzten und Glaubensgenossen gelangen zu lassen. Der nestorianische Episkopat mochte wohl seine Sonderrechte in einem Land gewahrt wissen, für dessen christliche Bekehrung er sich allein eingesetzt hatte und verantwortlich wußte.

Historisch verbürgte Auskunft über die frühe Existenz des nestorianischen Christentums in China gewährte die 781 von den Nestorianern errichtete, etwa vier Meter hohe, aus schwarzem Kalkstein bestehende Stele, die aber erst 1625 bei Bauarbeiten in der Nähe von Xi'an entdeckt wurde und sich heute im Provinzmuseum zu Xi'an befindet.[6] Sie zeigt ein Kreuz an der Spitze, eine 250 Zeilen lange Inschrift in chinesischer und syrischer Sprache, insgesamt 1756 chinesische Zeichen und 70 syrische Wörter, sowie am Ende eine exakte Datierung. An den Seiten dieser Steintafel sind Namen und Funktionen damaliger nestorianischer Mönche in Altsyrisch aufgeführt, sie bietet ferner in chinesischer Sprache einen konzisen Überblick über die Ausbreitung des Nestorianismus im Reich der Mitte sowie eine Zusammenfassung der Glaubenslehre und religiösen Praktiken. Aus diesen Informationen, die durch andere chinesische Quellen gestützt werden, geht hervor, daß die Mitglieder der nestorianischen Glaubensgemeinschaft Kontakt mit der chinesischen Umwelt gesucht und ihre Liturgiesprache weithin der vorgefundenen, namentlich der buddhistischen Gedankenwelt und Terminologie adaptiert haben. In manchen Passagen liest sich die nestorianische Inschrift wie ein Hymnus auf die Herrschaft und Macht des Kaisers von China. Das Edikt von 638, das auf der Steintafel rekapituliert wird, setzt bezeichnenderweise folgendermaßen ein:

> Die Lehre [Tao] hat keinen bestimmten Namen, und der Weise ist in keiner bestimmten Person verkörpert. Religionen sind in verschiedenen Gebieten der Erde geschaffen worden, so daß Erlösung in der Reichweite aller lebenden Wesen liegt.[7]

---

[6] Auf dem Nestorianer-Denkmal ist in der obersten Spitze das Kreuz dargestellt. Vergleichbare Kreuzformen hat man auch in nestorianischen Klöstern in China entdeckt, bei denen das Kreuz, einem Malteserkreuz ähnlich, in der Lotosblüte steht. Offenbar sind hier buddhistische Ideen mit christlichen Vorstellungen verschmolzen. Allem Anschein nach wollte man dem Geschmack der Chinesen, die im Kreuz und besonders im Kreuzestod Jesu etwas Abstoßendes sahen, mit dieser verklärenden Darstellungsweise entgegenkommen. Beim Kreuz der Stele treten rechts und links Gebilde nach Art einer Wolke heraus. Einige Kenner wollen hier ein taoistisches Symbol erkennen. Fest steht, daß das Kreuz in China vor der Ankunft des Christentums bekannt war. Dazu: L. Gaillard, *Croix et Swastika en Chine*. Eine Kopie dieser 781 gravierten Stele ist im Pariser Musée Guimet zu sehen. Zur beschreibenden Deutung der Stele: H.-J. Klimkeit, „Das Kreuzsymbol in der zentralasiatischen Religionsbegegnung", 103-106; J.F. Thiel, „Die christliche Kunst in China", 32-34.

[7] G.W. Leibnitz, *Das Neueste von China (1697)*, 134.

Die Nachricht von dem religions- und kulturgeschichtlich bedeutsamen Fund erregte namentlich in der europäischen Gelehrtenwelt außerordentliches Aufsehen. Aber nicht nur in gelehrten Kreisen, sondern auch in der interessierten Öffentlichkeit löste sie eine heftige Kontroverse über die Authentizität der Stele aus. Man warf den Jesuiten Fälschung vor, die sie in ihrer hinlänglich bekannten, dezidierten Sinophilie vorgenommen hätten. Heute besteht jedoch an der Echtheit kein ernstzunehmender Zweifel.[8]

Im Gefolge der nach der Tang-Zeit ausgebrochenen Unruhen wurde das Schicksal des Nestorianismus im Reich der Mitte mehr oder weniger besiegelt.[9] In breiten Schichten der Bevölkerung scheint er wenig Akzeptanz gefunden zu haben; er war eine Fremdenreligion geblieben, die man für Fremde als gut, für Chinesen aber als unnütz ansah. Erst im ausgedehnten Reich der mongolischen Großkhane, die in Khanbaliq (dem heutigen Peking) auf dem Drachenthron saßen, erhielt das Christentum nestorianischer Prägung wieder eine Chance. Selbst Dschingis Khans Schwiegertochter und Mutter Khubilai Khans bekehrte sich zum Nestorianismus, der am Mongolenhof eine privilegierte Stellung genoß.[10] Erst durch die spätere Missionstätigkeit des italienischen Franziskaners Giovanni da Montecorvino, der 1294 nach Peking kam, 1307 Erzbischof wurde und dort 1328 verstarb, geriet er unter starken Konkurrenzdruck und sah sich einer ernsthaften Gefährdung ausgesetzt.[11] Noch

---

8 Die wissenschaftlich zuverlässigste Untersuchung zum nestorianischen Denkstein: H. Havret, *La Stèle chrétienne de Si-ngan-fou*; außerdem: Y. Saeki, *The Nestorian Documents and Relics in China*; J. Tubach, „Der Apostel Thomas in China“, 68, Anm. 41.

9 Eine andere Deutung sieht den Grund für den damaligen Untergang des Nestorianismus in der engen Liaison mit der Kaiser-Dynastie, wie sie ihren Niederschlag in der erwähnten Stele gefunden habe: „Solches Entgegenkommen tendiert dazu, die wesentlichsten Punkte der orthodoxen christlichen Lehre hinwegzuwischen und die ganze Kirche in Korruption und Heidentum zu führen. Wir können nur feststellen, daß die eigentliche Wurzel des Übels, durch welches die nestorianische Mission in China nach wenigen Jahrhunderten des Bestehens zugrunde ging, praktisch in ihrer eigenen Haltung liegt, die sie dem regierenden Kaiserhaus der Tang-Zeit gegenüber eingenommen hat“ (Y. Saeki, *The Nestorian Documents and Relics in China*, 50). Beachte gleichfalls: J. Witte, *Die ostasiatischen Kulturreligionen*, 109f. Zum Ganzen: J. Stewart, *Nestorian Missionary Enterprise*; N. Cameron, *Barbarians and Mandarins*, 17-27.

10 H. Serruys, „Early Mongols and the Catholic Church“; Ch'en Yüan, *Western and Central Asians in China Under the Mongols*; St. Puhl, „Die Mongolen und ihre Kontakte zu katholischen Missionaren“, 21. Zum Gesamtkomplex: M. Weiers (Hrsg.), *Die Mongolen*; W. Heissig - C.C. Müller (Hrsg.), *Die Mongolen*; F. Schmieder, *Europa und die Fremden*; R.-P. Märtin - M. Steinmetz, „Der Mongolensturm“.

11 Zum Widerstand der Nestorianer gegen Montecorvinos Missionstätigkeit, durch die sie ihre Position gefährdet sahen: J. Glazik, „Die Missionen der Bettelorden außerhalb Europas“, 486; H. Bernard, *La découverte de Nestoriens mongols aux Ordos et*

am Ausgang des 14. Jahrhunderts existierten einige nestorianische Gemeinden, sie gingen indessen bald darauf im Zuge der fremdenfeindlichen Politik der Ming-Dynastie (1368–1644) zugrunde. Bis ins 20. Jahrhundert hinein sollen immer wieder Nachkommen nestorianischer Mongolen entdeckt worden sein.[12]

In zeitgenössischen Reiseberichten findet man häufig Angaben zu den in mongolischen Diensten stehenden Nestorianern, was der in ganz Zentralasien herrschenden „Pax Mongolica" als der Basis für prosperierende wirtschaftliche Verhältnisse und den Wissensaustausch sowie der erstaunlichen, außergewöhnlich toleranten Religionspolitik der Mongolenherrscher zuzuschreiben war, gehörten die Mongolen als Anhänger des Schamanismus doch keiner der großen Hochreligionen an. Dieses zunächst weitherzige und vorurteilsfreie Verhalten zeigten die Mongolen gegenüber sämtlichen Religionen der von ihnen unterworfenen Völker: gegenüber dem Buddhismus und Daoismus in China, dem lamaistischen Buddhismus in Tibet, dem Islam namentlich in Zentral- und Südwestasien, dem nestorianischen und lateinischen Christentum in Syrien, Anatolien und Persien sowie gegenüber dem orthodoxen Christentum in Byzanz und Rußland.[13] Zur Zeit der am weitesten nach Westen expandierenden Mongoleneinfälle – am 9. April 1241 hatten mongolische Truppen unter Dschingis Khans Enkel Batu in der Schlacht bei Liegnitz ein deutsch-polnisches Ritterheer unter Herzog Heinrich II. von Schlesien und am 11. April 1241 die Ungarn bei Mohi vernichtend geschlagen – veranlaßte offensichtlich die Kunde von der Existenz christlicher Reiche jenseits der Grenzen des Abendlands die Römische Kurie, Botschafter in den Osten zu senden. Den bisherigen Berichten hatte der Vatikan entnehmen können, daß die keiner der bekannten Weltreligionen angehörenden Mongolen den christlichen Glaubensgemeinschaften weitgehende Toleranz entgegenbrachten. Als der italienische Franziskaner Giovanni di Piano Carpini,[14] der als erster päpstlicher

---

l'histoire ancienne du christianisme en Extrême-Orient, 25; R. Müller, „Jean de Montecorvino (1247–1328)", 206f.

[12] St. Puhl, „Die Mongolen und ihre Kontakte zu katholischen Missionaren", 21.

[13] Später leiteten jedoch die Raubzüge der Mongolen und die Verfolgung von Fremdreligionen in China einen Verfall der Kirche des Ostens ein. Im 16. Jahrhundert suchte ein Teil der ostsyrischen Kirche Anschluß an die Kirche von Rom, und Papst Innozenz XI. errichtete für diese Gemeinden 1681 ein eigenes uniertes Patriarchat. Der gottesdienstliche Ritus der ostsyrischen Tradition wurde von diesen mit Rom unierten „Chaldäern" beibehalten (R. Thöle, „Lehrkonsens erreicht", 36).

[14] J. von Plano Carpini, *Kunde von den Mongolen, 1245–1247.* Der Bericht dieses Franziskanermönchs, der im Auftrag von Papst Innozenz IV. zu den gefürchteten „Tataren" reiste, prägte das Bild der Mongolen im Europa des 13. Jahrhunderts. Nach 1206 bezeichneten die Mongolen die Turkvölker, die sich ihnen anschlossen, als Ta-

Legat Ostern 1245 mit einer Gesandtschaft nach Asien aufbrach, versehen mit einem Sendschreiben von Innozenz IV. (1243–1254) sowie dem Auftrag, über Herkunft, Glauben, Sitten, militärische Organisation und politische Absichten des unbekannten Volks umfassende Erkenntnisse zu gewinnen, am 22. Juli 1246 Karakorum (heute: Harhorin), die 1220 gegründete Hauptstadt der Mongolen erreichte, war diese Sitz eines nestorianischen Bischofs; und bereits zwei Jahre später avancierte Khanbaliq zum nestorianischen Erzbistum.

In der Epoche der Kreuzzüge - eine in geistiger, religiöser, kultureller und kommerzieller Hinsicht aufgeschlossene, dank umwälzender Ideen und neuartiger Ansichten zugleich gärende Epoche –, die ihre Entstehung wesentlich einem religiösen Impetus verdankten,[15] pflegte das Abendland erstmals seit dem Untergang der Antike wieder einen höchst intensiven Kulturkontakt mit dem Vorderen Orient. Religiöse Beweggründe und spirituelle Aspekte verknüpften sich mit handfesten materiellen Interessen, mit dem unbändigen Verlangen nach Reichtum und Besitz. Europäische Kaufleute und Händler kamen ins Geschäft mit den ihnen meist überlegenen muslimischen Handelspartnern. Der Vordere Orient entwickelte sich zur Drehscheibe eines regen Transitverkehrs. Begehrte Luxusgüter, Gewürze, Seide, Edelsteine und Porzellan gelangten auf dem Seeweg aus Indien, dem malaiischen Archipel und China nach dem Persischen Golf, von dort in die Kreuzfahrerhäfen, wo vor allem italienische Handelsleute den Warenumschlag nach Europa besorgten.

Aus zweierlei Gründen war das Abendland lebhaft daran interessiert, mit den Mongolen in Beziehung zu treten. Zunächst sah man in der Aufnahme derartiger Kontakte eine probate Möglichkeit, den arabischen Zwischenhandel im Indischen Ozean auszuschalten, um dadurch wertvolle fernöstliche Produkte preisgünstiger einzukaufen. Außerdem hoffte man, die Mongolen für den katholischen Glauben und den Großkhan als mächtigen Bundesgenossen in dem für Christen stetig bedrohlicher werdenden Kampf gegen den Islam zu gewinnen.

Durch die Kreuzzugsbewegung erhielt die Mission nachhaltigen Auftrieb. In Afrika und im Vorderen Orient bemühten sich hauptsächlich Franziskaner

---

taren. Als Tatarei bezeichneten Europäer der frühen Neuzeit, denen Mongolen und Mandschu gleichermaßen als Tataren erschienen (M. Weiers, *Die Mongolen*, 614), in der Regel das gesamte Gebiet diesseits der Großen Mauer.

15 Zum breiten Spektrum der Kreuzzugsbewegung bezüglich der politischen, wirtschaftlichen, gesellschaftlichen, religiösen und kulturellen Verhältnisse in Westeuropa, dem Mittelmeerraum sowie der byzantinischen und islamischen Welt: C. Cahen, *Orient et Occident au temps des Croisades*; E. Siberry, *Criticism of Crusading, 1095–1274*; St. Runciman, *Geschichte der Kreuzzüge*; M. Erbstößer, *Die Kreuzzüge: eine Kulturgeschichte*; Chr.T. Maier, *Crusade Propaganda and Ideology*; H.E. Mayer, *Geschichte der Kreuzzüge*.

um die Gewinnung von Muslimen, in Ostasien wollte man die Missionstätigkeit unter den Mongolen forcieren.[16] Innozenz IV. und König Ludwig IX. von Frankreich (1219–1270) schickten wiederholt Franziskaner und Dominikaner als Kundschafter und Gesandte zu den Mongolen und zur Hauptresidenz der Großkhane.[17] Sämtliche diplomatischen Bemühungen, eine Allianz gegen den Islam auszuhandeln, blieben jedoch ergebnislos. In diesem Kontext versuchte man ebenfalls die christliche Glaubensbotschaft zu vermitteln. Von einer eigentlichen, systematischen Evangelisierung kann allerdings kaum die Rede sein; vielmehr handelte es sich dabei lediglich um Kontaktnahme und Sondierungen unterschiedlichster Art. Erwähnt seien namentlich die im Auftrag des Papstes an den Hof des Großkhans Güyük in Karakorum entsandte Delegation mit dem Dominikaner Ascelinus aus der Lombardei an der Spitze und die des Königs Ludwig IX. unter der Leitung des Dominikaners Andreas von Longjumeau zu den Mongolen in Mittelasien. Während die erstere Mission am ungeschickten Auftreten des Ascelinus vor dem mongolischen Statthalter Batschu-Noyan scheiterte und die Gruppe sich vorzeitig unverrichteter Dinge zur Rückkehr genötigt sah, gelangte anscheinend die des französischen Königs bis nach Karakorum, wenngleich keine direkten Berichte von Andreas über diese Reise vorliegen. Erst dem Franziskaner Wilhelm von Rubruk glückte es, von Konstantinopel aus wieder bis Karakorum vorzudringen, wo er am 27. Dezember 1253 ankam, siebenundzwanzig Jahre nach dem Tod Dschingis Khans, des Gründers des mongolischen Großreichs.[18] Dorthin hatte er sich aus eigenem Antrieb und im Einvernehmen mit seinen Ordensoberen auf den Weg gemacht.

In seinen Reiseberichten charakterisierte Rubruk Karakorum als eine multikulturelle Stadt, die Angehörige aller Völker des Reichs bewohnten. Er traf chinesische, persische und europäische Handwerker an, meist Kriegsgefangene, die für den Hof des Großkhans arbeiteten. Ihm fiel die friedliche Koexistenz der verschiedenen Religionen auf. Außer einer christlichen Kirche und zwei Moscheen zählte der Mönch zwölf „Götzentempel der verschiedenen Nationen“. Zwei Jahre nach seiner Abreise gesellte sich noch eine fünfstökkige buddhistische Pagode hinzu, die eine Höhe von fast einhundert Metern gehabt haben soll. Hier nahm Rubruk am Vortag von Pfingsten 1254 an einer auf Geheiß des Großkhans Möngke, eines Enkels von Dschingis Khan, veranstalteten öffentlichen Disputation mit Repräsentanten verschiedener Religionen teil, in deren Verlauf der Großkhan diese mit den Fingern einer Hand

---

16 B.H. Willeke, „Die Franziskaner und die Missionen des Mittelalters“.

17 Hierzu: J. Muldoon, *Popes, Lawyers, and Infidels*.

18 Einschlägige Informationen über diesen Herrscher der Mongolen: R. Neumann-Hoditz, *Dschingis Khan*.

verglich. Gott habe sie als unterschiedliche Wege für die Menschen geschaffen. In der letzten Audienz Rubruks bei Möngke bemerkte dieser, „es sei für ihn unmöglich herauszufinden, welcher Religionsvertreter die Wahrheit sage. Jede Religion berufe sich auf die Wahrheit ihrer heiligen Schriften. Außerdem hielt er Rubruk entgegen, die Christen beriefen sich zwar auf die ihnen von Gott geoffenbarte Schrift, hielten sich aber nicht daran.“[19]

Unter dem auf Geheiß Nikolaus' IV. (1288–1292) mit einigen Ordensmitbrüdern in diese Region entsandten Franziskaner Giovanni da Montecorvino[20] begann eine systematische Missionierung. Von 1294 bis 1328 wirkte er zunächst unter Nestorianern und Buddhisten. Nach einer Reihe von empfindlichen Rückschlägen konnte er eine zahlenmäßig ansehnliche Gemeinde aus Mongolen und Chinesen gründen. Er hat insbesondere katechetisch und liturgisch gearbeitet, sich dabei durch kluge wie weitherzige Anpassung ausgezeichnet. Seine respektablen Erfolge hatten Klemens V. (1305–1314) bewogen, ihn 1307 zum Erzbischof von Peking zu ernennen und diese Stadt zum Zentrum der gesamten Mongolenmission zu machen. Zahlreiche Bettelmönche waren aufgebrochen, um ihn bei der Evangelisierung zu unterstützen, allerdings läßt sich im einzelnen nicht mehr eruieren, wie viele dieser Glaubensboten das Ziel erreichten. Hingegen ist historisch verbürgt, daß in China einige Klöster existierten. Im Todesjahr des Erzbischofs (1328) zählte die katholische Christenheit in diesem Land rund 30.000 Gläubige, unter ihnen etwa 15.000 Alanen, die die Mongolen aus dem Kaukasus nach China deportiert hatten. Mit dem Dammbruch des Gelben Flusses im Jahr 1351 waren ebenfalls die Tage der Mongolendynastie gezählt. Zu dem gigantischen Dammbauunternehmen, das in der Provinz Zhejiang begonnen hatte, waren 170.000 Arbeiter zwangsverpflichtet worden, die in gewaltsamen Aktionen gegen diese Zwangsmaßnahmen rebellierten. Binnen kurzem griffen die sozial-revolutionären Insurrektionen, denen sich auch die Geheimgesellschaft der „Roten Turbane“, Seeleute, Salzschmuggler und Piraten der Küste anschlossen, auf ganz Mittelchina über; diese diversen Befreiungsbewegungen verhinderten den Getreidetransport auf dem Kaiserkanal, wodurch der Unmut der Massen nachhaltig anschwoll.[21]

---

[19] St. Puhl, „Die Mongolen und ihre Kontakte zu katholischen Missionen“, 22.

[20] Ergänzend zu der in Anm. 11 verzeichneten Literatur: Chan Hok-lam - Wm.Th. De Bary (eds.), *Yüan Thought: Chinese Thought and Religion under the Mongols*; A. Jochum, *Beim Großkhan der Mongolen*; J. Charbonnier, *Histoire des chrétiens de Chine*, 61-67; F.E. Reichert, *Begegnungen mit China*, 76-79 u.ö.; *Acts of International Study Workshop of John Montecorvino O.F.M. 1294–1994*; Claudia von Collani, „China: Missions- und Kirchengeschichte“, in: *LThK*, Bd. 2, Sp. 1057-1059; Arnulf Camps, „Johannes von Montecorvino“, in: *LThK*, Bd. 5, Sp. 937f.

[21] M. Grießler, *China*, 209.

Einer verarmten Bauernfamilie entstammend, avancierte Zhu Yuanzhang zum bedeutenden Rebellenführer, dem es mit Unterstützung der Landbevölkerung und der traditionellen Bildungselite gelang, den Kampf gegen die Mongolen zum Erfolg zu führen. Er sympathisierte mit der buddhistischen Geheimgesellschaft „Weißer Lotos", die mit messianischen Visionen lokale Erhebungen inspirierte. Die zunächst gegen die ausbeuterische Unterdrückung von seiten der mongolischen Fremdherrschaft und gegen die gesellschaftlichen Mißstände gerichtete Revolte nahm rasch den Charakter einer nationalen Bewegung an, die sich die Vertreibung der Fremdherrscher zum Ziel gesetzt hatte. Mit militärischer Unterstützung der „Roten Turbane" und anderer Aufständischer besetzte Zhu Yuanzhang 1356 Nanking und Umgebung; anschließend marschierte er mit einem gewaltigen Heer nach Zhongdu [Khanbaliq], der Metropole des Mongolenreichs, die 1368 eingenommen wurde; der letzte Mongolenkaiser hatte die Stadt zuvor heimlich verlassen. Die Armee der neuen Machthaber drängte die Mongolen weit in den Norden zurück und auch aus Yunnan, wo sich ein Teil von ihnen nach dem Sturz der Yüan-Dynastie (1279–1368) zunächst noch halten konnte. Im weiteren Verlauf der Expansion rückten die Heere bis nach Zentralasien vor; damit wurde eine territoriale Ausdehnung erreicht, die alle bisherigen chinesischen Reiche bei weitem übertraf.[22]

Zhu Yuanzhang – er nahm später als Kaiser (1368–1399) die Regierungsdevise Hongwu an – schaltete nacheinander seine Rivalen aus, gründete 1368 die Dynastie der Großen Ming und erhob Nanking zur Haupt- und Residenzstadt, womit er eine umsichtige Entscheidung getroffen hatte. Denn mit dem Mongoleneinfall im Norden waren zahlreiche ehemals einflußreiche, gebildete und vielseitig qualifizierte Bewohner der nördlichen Landesteile in Regionen südlich des Langen Flusses geflohen. Nanking prosperierte rasch und entwickelte sich zu einem politischen, wirtschaftlichen und kulturellen Zentrum. Seine verkehrsmäßig und strategisch günstige Lage am Langen Fluß kam dem Handelsverkehr zugute und bot zugleich Schutz gegen plötzliche Überfälle aus dem Norden: Vorzüge und Rahmenbedingungen, die Peking als Hauptstadt eines Riesenreichs nicht zu bieten vermochte. Dennoch erkor der dritte Ming-Kaiser Yongle (1403–1425), dem als Fürst von Yan der Schutz der Nordgrenzen oblag und der deshalb in Peking residierte, mit seiner Machtübernahme diese Stadt zur Metropole des chinesischen Kaiserreichs.[23]

---

[22] Ebd., 209f.; J. Gernet, *Die chinesische Welt*, 329f.

[23] M. Grießler, ebd., 210; J. Gernet, ebd. Die im Jahr 1421 erfolgte Verlegung der Hauptstadt, die durch die Wiederinstandsetzung des Großen Kanals ermöglicht worden war, geschah nicht auf einen Schlag, denn Teile der Behörden blieben noch bis 1450 in Nanking; zum Schutz der Nordgrenze gegen die Mongolen ließ Yongle die „Chinesische Mauer" erneuern. Diese Transferierung verschärfte den Antagonismus zwischen

Unter dem despotischen Mongolenregime hatte das Werk der Glaubensverbreitung in dessen Herrschaftsbereich lediglich ephemeren Charakter, ausgenommen die franziskanische Mission in Peking. Die gewaltsame Beseitigung der Fremddynastie der Mongolen, die aufgrund chronischer Unordnung und Korruption in der Verwaltung, der Verelendung der Bauern, permanenter Repressionen und gesellschaftlicher Deklassierung der chinesischen Bevölkerung sowie infolge von Intrigen, Erbfolgestreitigkeiten und Cliquenkämpfen der Adelsfamilien und rivalisierender Statthalter zuletzt völlig zerrüttet war, durch die chinesische Ming-Dynastie (1368–1644)[24] wirkte sich für die Kirche im Reich der Mitte fatal aus; denn deren Machtübernahme bedeutete zugleich das Ende der Mission in Peking. Bis zum Beginn des 15. Jahrhunderts kursierten gelegentliche Nachrichten über das Christentum in China, danach scheint sein Schicksal weithin besiegelt gewesen zu sein.

---

der Zentralregierung und ihren Amtsträgern, allgemeiner formuliert, den Gegensatz zwischen dem Hof und der gesamten Bildungselite. Es war das erste Mal, daß ein Reich chinesischen Ursprungs seine Hauptstadt so weit im Norden gewählt hatte. Zu möglichen Gründen und Motiven, die Kaiser Yongle dazu veranlaßt haben könnten: J. Gernet, ebd., 347. Der weitere Ausbau Pekings zur Hauptstadt knüpfte an die von Khubilai Khan im Jahr 1267 festgelegten Pläne an. Bereits im Yüan-Reich entstand der Kaiserpalast an seiner heutigen Stelle. Im 15. Jahrhundert wurden die Stadtgrenzen nach Süden verschoben, so daß ein Teil der ehemaligen, im Norden gelegenen Mongolenstadt nun außerhalb Pekings lag. Gleichzeitig wurde im Süden Pekings die Stadtmauer erweitert. Das gesamte, heute noch erkennbare Stadtbild ist schachbrettartig mit einer von Norden nach Süden verlaufenden Zentralachse angelegt.

24 Zur Ming-Dynastie, die durch ihre raumgreifende Politik die Grundlagen für das chinesische Reich der Neuzeit geschaffen und durch die straffe innere Organisation des Staatswesens für seine relative Geschlossenheit bis ins 20. Jahrhundert Vorsorge getroffen hat sowie als „quasi-revolutionäre Macht“, wirkungsgeschichtlich betrachtet, im nationalen Sinn stilprägend gewesen ist: M. Grießler, ebd., 209-256; J. Gernet, ebd., 328-389; Henry Serruys, *Sino-Jürčed Relations During the Yung-lo Period (1403–1424)*; H. Friese, *Das Dienstleistungssystem der Ming-Zeit (1368–1644)*; T. Grimm, *Erziehung und Politik im konfuzianischen China der Ming-Zeit (1368–1644)*; ders., „Ming-Dynastie“; Ch.O. Hucker, *The Traditional Chinese State in Ming Times (1368–1644)*; ders., *The Censorial System of Ming China*; ders. (ed.), *Chinese Government in Ming Times*; ders., *Two Studies on Ming History*; ders., *The Ming Dynasty: Its Origin and Evolving Institutions*; Ho Ping-ti, *The Ladder of Success in Imperial China*; Bodo Wiethoff, *Die chinesische Seeverbotspolitik und der private Überseehandel von 1368 bis 1567*; W. Franke, *An Introduction to the Sources of Ming History*; W.Th. De Bary, and the Conference on Ming Thought (eds.), *Self and Society in Ming Thought*; J.B. Parsons, *The Peasant Rebellions of the Late Ming Dynasty*.

Die große Pest, die um die Mitte des 14. Jahrhunderts Europa arg heimgesucht und ganze Landstriche entvölkert hatte,[25] wirkte sich desgleichen auf das spätmittelalterliche Missionswerk verhängnisvoll aus. Eine stattliche Zahl von Ordenschristen, namentlich Franziskaner und Dominikaner, die sich in besonderer Weise um die Pestkranken gekümmert hatten, fielen ihr zum Opfer,[26] so daß Missionare für die entfernteren Gebiete nicht zur Verfügung standen. Hinzu kam die kontinuierlich fortschreitende Islamisierung der Mongolen, die unter Tamerlan (1336–1405) zwangsweise vollendet wurde. Der von den Mongolen im großen und ganzen beobachteten Toleranz den Religionen gegenüber - sofern sie sich als staatstragend erwiesen und die absolute Dominanz der staatlichen Macht akzeptierten – folgte der unduldsame und aggressive sunnitische Fanatismus, der der christlichen Glaubensverkündigung feindlich gesinnt war. Außerdem verhinderten lang andauernde Kriege in Asien das Reisen in diese ostasiatischen Regionen.[27]

2.
Die Jesuitenmission im 17. und 18. Jahrhundert

Einen neuen Versuch, die christliche Glaubensbotschaft im für Ausländer verschlossenen Reich der Mitte zu verkünden, hatte man nach dem Tod des auf der Insel Shangchuan unweit von Kanton, der wichtigsten Hafenstadt im Südosten Chinas, am 3. Dezember 1552 verstorbenen Jesuiten Franz Xaver (1506–1552) gemacht.[28] Obwohl es ihm nicht gelungen war, bis nach China

---

[25] Zu dieser verheerenden Katastrophe und ihren Folgewirkungen: K. Bergdolt, *Der Schwarze Tod in Europa*; Th. Esser, *Pest, Heilsangst und Frömmigkeit*; O. Ulbricht (Hrsg.), *Die leidige Seuche*.

[26] Allein in Deutschland hätten die Orden der Franziskaner und Dominikaner durch die Seuche 124.000 Mitglieder verloren (A. Nobel, *Deutsche Geschichte von der Vorzeit bis zur Gegenwart*, 262; 450).

[27] J. Glazik, „Die Missionen der Bettelorden außerhalb Europas“, 488f.

[28] Ausgewählte Literatur zur Missionsarbeit der Jesuiten in diesem Zeitraum: A. Jann, *Die katholischen Missionen in Indien, China und Japan*; L. Pfister, *Notices biographiques et bibliographiques sur les Jésuites de l'ancienne mission de Chine (1552–1773)*; E.T. Hibbert, *Jesuit Adventure in China during the Reign of K'ang-hsi*; G.H. Dunne, *Das große Exempel*; M. Übelhör, „Geistesströmungen der späten Ming-Zeit“; W. Reinhard, „Gelenkter Kulturwandel im siebzehnten Jahrhundert“; S. Reil, *Kilian Stumpf (1655–1720)*, (Lit.); M. Ricci - N. Trigault, *Histoire de l'expédition chrétienne au Royaume de la Chine*; J. Guillou, *Les Jésuites en Chine aux XVIIe et XVIIIe siècles*; J.D. Young, *East-West Synthesis*; J. Gernet, *Christus kam bis nach China*; Ch.E. Ronan - B.B.C. Oh (eds.), *East Meets West*; N. Standaert, „Inculturation and Chinese Christian Contacts in the Late Ming and Early Qing“; E.J. Zürcher - N. Standaert - A. Dudink (eds.), *Bibliography of the Jesuit Mission in China (ca. 1580 – ca. 1680)*; A.

vorzudringen, hatte er doch einige der wichtigsten Prinzipien der Missionsmethode formuliert. So sollten die für den Fernen Osten bestimmten Missionare in aller Regel Wissenschaftler sein, denn die hochkultivierten Japaner und Chinesen schätzten die Wissenschaften sehr hoch. Um die Menschen unmittelbar ansprechen und wirksam erreichen zu können, sei es unerläßlich, zuerst deren Sprache zu erlernen. Die Missionare sollten sich als integraler Teil der jeweiligen Kultur und Zivilisation verstehen und dem Brauchtum des betreffenden Landes sich verpflichtet wissen: sie sollten Chinesen werden, um China für das Christentum zu gewinnen. Ferner sollte die Bekehrung von oben nach unten erfolgen, also mit dem Kaiser und den Potentaten des Reichs beginnen, da das Volk ihnen dann folgen würde. Auf diese Weise ließen sich Konflikte zwischen Regierung und Volk vermeiden. Für Franz Xaver besaß China eine Schlüsselfunktion für ganz Ostasien.

> Eine auf diesen Axiomen beruhende Mission stand in krassem Gegensatz zum durchweg üblichen Vorgehen der Missionare, die in ihrem europäischen Ordenshabit auf offener Straße mit dem Kreuz in der Hand predigten, ohne auch nur zu versuchen, die einheimische Kultur verstehen zu wollen. So war Franz Xaver der Initiator eines neuen Missionskonzeptes für China.[29]

Den Portugiesen war es 1554 erstmals gelungen, Beziehungen zu China aufzunehmen. Sie erwarben pachtweise die Halbinsel Gozan, gründeten auf ihr die Stadt Macau,[30] eine der ältesten europäischen Niederlassungen an der chinesischen Küste, und richteten dort einen Handelsstützpunkt ein, wozu ihnen in den Jahren von 1556 bis 1560 die chinesischen Behörden von Kanton die offizielle Genehmigung erteilten. In der Folgezeit entwickelte sich die Niederlassung zum wichtigsten Umschlagplatz für den Handel mit China, Japan, Manila, Malakka und anderen Häfen Asiens, deren erste Blütezeit bis in die Mitte des 17. Jahrhunderts reichte. Seit 1573 zahlten die Portugiesen eine jährliche Pacht an den chinesischen Kaiserhof, aber erst 1887/1888 erkannte Chi-

---

Väth, *Johann Adam Schall von Bell S.J.*; C. von Collani, „China: Die Chinamission von 1520–1630"; dies., „Jesuiten im Gespräch mit chinesischen Gelehrten"; J.-P. Duteil, *Le mandat du ciel*; K. Schatz, „Inkulturation und Kontextualität"; A.C. Ross, *A Vision Betrayed*; J.-P. Voiret (Hrsg.), *Gespräch mit dem Kaiser und andere Geschichten*; Ph. Lécrivain, „Die Faszination des Fernen Ostens"; Li Wenchao, *Die christliche China-Mission im 17. Jahrhundert*; R. Malek - A. Zingerle (Hrsg.), *Martino Martini S.J. (1614–1661)*; P.C. Hartmann, *Die Jesuiten*.

[29] C. von Collani, „China: Die Chinamission von 1520–1630", 939.

[30] Macau liegt an der Küste der südchinesischen Provinz Guangdong auf der Westseite der Perlflußmündung (Zhujiang), etwa 60 km westlich von Hongkong. Im einzelnen zu seiner historischen Entwicklung sowie besonders zu seiner Bedeutung für die Missions- und Religionsgeschichte: R. Malek (Hrsg.), *Macau*.

na Portugals Souveränität über Macau an. Bis dahin kann es nicht als portugiesische „Kolonie" bezeichnet werden. Allerdings tolerierten die chinesischen Behörden stillschweigend die portugiesische Präsenz, da sie aus ihr vielerlei Vorteile zogen.[31]

Mit der Bulle „Super specula militantis Ecclesiae" errichtete Gregor XIII. (1572–1582) am 23. Januar 1576 die portugiesische Diözese Macau, die Rom direkt der Metropole Goa unterstellte. Ihre Hauptaufgabe bestand in der Organisation und Verwaltung der überwiegend von Jesuiten getragenen Mission nach China, Japan und Annam (heute Vietnam). Macau wurde Zentrum und Stützpunkt christlicher Missionstätigkeit, ferner diente es als Refugium und Asyl für Missionare. Zahlreiche Chinesen, die mit den Portugiesen zusammenarbeiteten, traten zum Christentum über. Seit der Mitte des 18. Jahrhunderts versuchte die Qing-Dynastie jedoch, die christliche Unterweisung der chinesischen Bevölkerung zu unterbinden.[32]

Die meisten nach Franz Xavers Tod von portugiesischen *Padroado*- wie auch von spanischen *Patronato*-Missionaren unternommenen Versuche, auf dem chinesischen Festland Fuß zu fassen, schlugen fehl. Die Missionare, die China erreichten, wurden des Landes verwiesen oder eingekerkert, niemand erhielt Bleiberecht.[33] Die *Padroado*-Jesuiten beherrschten die Chinamission der frühen Neuzeit nahezu die gesamten zweihundert Jahre ihrer Existenz. Begründet wurde sie von den italienischen Jesuiten Michele Ruggieri (1543–1607) und Matteo Ricci (1552–1610), denen bald Jesuiten anderer Nationalität folgten, so Belgier, Deutsche und später auch Franzosen, die im 18. Jahrhundert hinter der portugiesischen Jesuitenmission eine dominante Stellung einnahmen.

Im Jahr 1578 kam Alessandro Valignano (1539–1606), ein namhafter Wegbereiter der Jesuitenmissionen in China und Japan, als Visitator der Gesellschaft Jesu in Ostasien in Macau an, wo es seit 1565 eine Jesuitenresidenz gab und die künftigen Japanmissionare auf ihren Einsatz vorbereitet wurden, um die Tätigkeit seiner Ordensgenossen zu überprüfen. Er hatte auf der Grundlage der Ideen Franz Xavers eine geeignete und effiziente Missionsmethode für Ostasien und präzise Missionsprinzipien ausgearbeitet. Hier ließ man Valignano wissen, der primäre Grund, warum es den Jesuiten nicht gelänge, ins Innere Chinas zu gelangen und dort zu missionieren, weshalb sie sich genötigt sähen, in Macau zu bleiben, sei wesentlich die Unkenntnis der chinesischen Sprache. Deshalb bemühte er sich um Michele Ruggieri, der in

---

31 J.Chr. Hüttner, *Nachricht von der britischen Gesandtschaftsreise nach China 1792–1794*, 213.

32 Ebd.

33 R. Laurentin, *Chine et christianisme*, 116f.

Indien als Missionar wirkte und sich wiederholt für den Gebrauch des Chinesischen beim Evangelisieren im Reich der Mitte ausgesprochen hatte.[34]

Seit dem 22. Juli 1579 wurde Ruggieri in Macau von einem Chinesen in der chinesischen Sprache und von Bischof Melchior Carneiro in den chinesischen Höflichkeitsformen und der landesüblichen Etikette unterwiesen. Nach etwa zwei Jahren hatte er sich eine passable Sprachkompetenz angeeignet, ebenso die Beherrschung der gängigen chinesischen Gesellschaftsformen. Er nutzte Gelegenheiten, portugiesische Kaufleute zur Handelsmesse - bisweilen zusammen mit Franziskanern und anderen Jesuiten - nach Kanton zu begleiten, die zweimal jährlich, im Frühjahr und Herbst, stattfand, und begann die Lage im Inneren Chinas zu sondieren und Kontakte mit chinesischen Beamten anzuknüpfen. Ruggieri, allgemein bekannt als Wegbereiter Matteo Riccis, des außerordentlich gebildeten und hochqualifizierten italienischen Jesuiten, den man zur Verstärkung angefordert hatte, wenngleich noch weitere Jesuiten die Chinamission vorbereiteten, beschloß, eine Niederlassung in der Provinz Guangdong zu gründen, und bat um Genehmigung, im Landesinneren leben zu dürfen. Mit Erlaubnis der örtlichen Beamten erhielt er 1580 Unterkunft in Kanton in einem Hotel, in dem jährlich die Tributgesandten Thailands an den chinesischen Kaiserhof wohnten.[35] In dieser Handelsmetropole durfte er 1581 die erste katholische Kirche erbauen, und im folgenden Jahr gestattete man ihm einen kurzen Aufenthalt in Zhaoqing.

Trotz massiver Vorbehalte der chinesischen Philosophie gegenüber, namentlich dem Konfuzianismus, der im Reich der Mitte vorherrschenden Staatsphilosophie, begann Ruggieri als erster Europäer mit der Übersetzung der vier klassischen Schriften des Konfuzianismus, die das Fundament der chinesischen Staatsideologie bildeten. Für die Chinesen verfaßte er eine Art christlichen Katechismus. Darin verwendete er die lateinischen Namen und Begriffe, die er mittels ähnlich lautender chinesischer Schriftzeichen wiedergab. Lediglich für den christlichen Gott benutzte er einen chinesischen Namen, *Tianzhu*, Himmelsherr. Es verdient erwähnt zu werden, daß Ruggieri, 1588 nach Europa zurückberufen, um eine allerdings gescheiterte päpstliche Gesandtschaft an den chinesischen Kaiser vorzubereiten, in seinem Katechismus „die für die Chinesen schwer faßbaren bzw. anstößigen Glaubenspunkte wie der Kreuzestod Christi und die Forderung der Monogamie" deutlich und verständlich behandelte.[36]

---

34 C. von Collani, „China: Die Chinamission von 1520–1630", 941.

35 Huang Qichen, „Macau, eine Brücke für den Kulturaustausch", 334.

36 C. von Collani, „China: Die Chinamission von 1520–1630", 942 und 945 mit Anm. 68. Missionare anderer Ordensgemeinschaften warfen den Jesuiten zu Unrecht vor, sie hätten die für die Chinesen anstößigen Glaubenswahrheiten verschwiegen.

Nach erlangter Aufenthaltsgenehmigung für das chinesische Festland begaben sich Ruggieri und Ricci, von jenem eingeladen, sich ihm und Francesco Pasio (1554–1612) anzuschließen, im September 1583 nach Zhaoqing, Provinz Guangdong, wo sie am Tianning-Tempel eine Jesuitenniederlassung gründeten und sich der Evangelisierung widmeten. Vermutlich war dies der erste Schritt der Jesuiten ins Innere Chinas im Hinblick auf die Gründung einer Mission auf dem chinesischen Festland. Ricci oblag weiter mit ausdauerndem Fleiß dem Erlernen der chinesischen Sprache, was ihm anscheinend erheblich leichter fiel als dem neun Jahre älteren Ruggieri. Denn die gründliche Kenntnis der Sprache als geschriebenes und gesprochenes Wort ist keineswegs bloß ein Medium der Verständigung und Kommunikation; wegen der spezifischen Eigenheiten des Chinesischen war es auch besonders schwierig, in dieser Sprache wesentliche Glaubensinhalte und für die Missionare plausible, nicht hinterfragbare Denk- und Ausdrucksweisen so zu formulieren, daß sie für chinesische Adressaten verständlich wurden. Von Beginn seines Aufenthalts in Macau an hatte er sich außerdem mit den Schriften des Konfuzius und der anderen chinesischen Klassiker auseinandergesetzt.

Offensichtlich auf den Rat ihrer Mitbrüder in Japan hin kleideten sich die Jesuiten anfänglich wie buddhistische Mönche und traten rasiert, mit kahlgeschorenem Kopf auf. Da sie aber recht bald erkennen mußten, daß diese in den herrschenden Kreisen wenig Ansehen genossen und einen schlechten Ruf besaßen, gingen Ricci und seine Gefährten ab 1595 in den Seidenkleidern der konfuzianischen Gelehrten, der führenden Gesellschaftsschicht, übernahmen deren Umgangsformen und ließen sich lange Bärte wachsen. Den lokalen Gepflogenheiten folgend, trugen die Chinamissionare – auch in späterer Zeit – seidene Kleider und ließen sich in Sänften tragen, um den mit ihrem Status verknüpften Erwartungen der höheren Gesellschaftskreise gerecht zu werden. Eine derartige Verhaltensweise war die logische Konsequenz aus ihrem Bestreben, eine ihrer Aufgabe entsprechende gesellschaftliche Position einzunehmen.[37] Diese Anpassung war keine bloß äußerliche, vielmehr akkommodierten sie sich gleichfalls dem Sprechduktus und der Terminologie der konfuzianischen Gelehrten, überdies machten sie sich ihre profanwissenschaftlichen Kenntnisse für die Glaubensverbreitung zunutze.

---

[37] Ebd., 943-946. Von den Bonzen erwartete man den Vollzug religiöser und magischer Praktiken, von den Beamten und Literaten dagegen intellektuelle Anregungen sowie Vertiefung des Wissens. Charakteristisch für die Kurskorrektur der früher getroffenen folgenschweren Entscheidung ist die Tatsache, „daß Ricci in den ersten Jahren weder Kirchen noch Kapellen errichtete, stattdessen jedoch Konversationsräume: ‚denn hier predigt man durch Gespräche wirksamer und fruchtbarer als durch offizielle Predigten‘" (K. Schatz, „Inkulturation und Kontextualität", 22). Im einzelnen: J. Bettray, *Die Akkommodationsmethode des P. Matteo Ricci in China*; D.E. Mungello, *Curious Land.*

Das literarische Apostolat der Jesuiten wäre ohne die nachhaltige Unterstützung chinesischer Gelehrter, die sie zunächst als Schüler unterrichtet hatten und die dann ihre Freunde geworden waren, wohl kaum möglich gewesen. In der Auseinandersetzung mit chinesischem Denken bemühte sich Ricci vor allem, dem Vorwurf zu entgehen, eine fremde, neue Religion zu propagieren. Vielmehr versuchte er in Anknüpfung an Konfuzius in seiner Schrift *Tianzhu shiyi* („Die wahre Lehre über den Herrn des Himmels") nachzuweisen, daß die christliche Lehre keine neue Doktrin sei, sondern wahre Erfüllung der besten nationalen Traditionen, ja das Christentum als Restituierung des authentischen Konfuzianismus darzustellen.

Recht bald erkannten die Missionare, daß es für die Evangelisierung äußerst wichtig war, die Gunst des Kaisers zu gewinnen. Deshalb unternahm Ricci enorme Anstrengungen, bei denen er immer wieder herbe Rückschläge einstecken mußte, an den Hof in Peking zu gelangen. Seine Versuche führten erst einmal zur Errichtung von Niederlassungen in Nanjing, wo er 1598 selbst Wohnung nahm. Drei Jahre später glückte es ihm, sich in Peking niederzulassen. Der Kaiser duldete stillschweigend das dortige Verweilen der Jesuiten, überließ ihnen ein Haus und erlaubte ihnen, eine Kirche zu bauen. Ricci, apostolisch gesinnt und um eine weitherzige Anpassung bemüht, entfaltete eine breit gefächerte Lehrtätigkeit und missionarische Aktivität. Er gewann prominente Persönlichkeiten des Kaiserhofs und der Gelehrtenwelt für den christlichen Glauben. Bereits 1605 soll es allein in Peking über 2.000 Christen gegeben haben. Drei Jahre später konnte auch in Shanghai eine Niederlassung gegründet werden.

Nach Ruggieris Abreise nach Europa im Jahr 1588 bemühte sich Matteo Ricci, der einer wohlhabenden italienischen Familie entstammte und sich mit achtzehn Jahren der Gesellschaft Jesu angeschlossen hatte,[38] dem Christentum den Zugang nach China zu verschaffen. Das gelang ihm vor allem dadurch, daß er seiner Tätigkeit die von Franz Xaver und Alessandro Valignano konzipierte Akkommodationsmethode zugrunde legte und weiter entwickelte. In Zhaoqing nahm er Kontakte mit chinesischen Literaten auf, indem er eine

---

[38] Matteo Ricci absolvierte seine wissenschaftlichen Studien am Collegio Romano, wo nach dem Vorbild der Pariser Universität gelehrt wurde. Er studierte dort drei Jahre Philosophie, Mathematik und Astronomie. Das Studium der Mathematik umfaßte die reine Mathematik (Arithmetik und Geometrie) und die angewandte Mathematik (Astronomie, Optik, Mechanik, Musik, Geodäsie sowie Kartographie). Zu Person und Werk Riccis: „International Symposium on Matteo Ricci"; *International Symposium on Chinese-Western Cultural Interchange*; *Atti del Convegno internazionale di Studi Ricciani*; „L'Evangile en Chine"; Ch.E. Ronan – B.B.C. Oh (eds.), *East Meets West*.

Weltkarte, die berühmte „Karte der zehntausend Reiche",[39] anfertigte, auf der er China im Zentrum positioniert hatte. Damit und mit anderen technischen Utensilien sowie mit wissenschaftlichen Instrumenten weckte er das neugierige Interesse der Gelehrten, die er mit der Zeit für sich einzunehmen verstand. Binnen kurzem ging ihm in China der Ruf voraus, eine hochgebildete Persönlichkeit zu sein. Dank den naturwissenschaftlich-technischen Erkenntnissen und Errungenschaften, die seit der Renaissance in Europa zu verzeichnen waren, übertraf Ricci die Einheimischen in vielen Bereichen an Wissen und artistischen Qualifikationen:

> Dadurch gewann er chinesische Gelehrte als Schüler und Freunde, die er in Mathematik unterrichtete. So konnte er in Nanchang die Freundschaft des in China sehr wichtigen „Ministers für Riten" gewinnen. Aufgrund seiner großen Verdienste wurde Matteo Ricci bis zu seinem Lebensende zum Missionssuperior für ganz China ernannt mit der Machtbefugnis eines Provinzials; 1604 schließlich wurde die Jesuitenmission in China unabhängig von Macao.[40]

Ricci starb am 11. Mai 1610 in Peking, von den einheimischen Christen hochgeehrt und tief betrauert. Der chinesische Wanli-Kaiser (1573–1620) stiftete für sein Grab ein Stück Land in Shala, das in der Folgezeit die Ruhestätte zahlreicher Jesuiten wurde.[41]

Bei Riccis Tod gab es acht europäische Jesuitenpatres und ebenso viele einheimische Priesteramtskandidaten in Peking, ferner 2.500 Christen, die überwiegend der Literatenschicht angehörten.[42] Ricci und seine Mitbrüder hatten vor allem deswegen so erstaunliche Erfolge zu verzeichnen, weil sie die Geisteswelt und die Religionen des Landes gründlich studierten. Die Beschäftigung mit der altkonfuzianischen Literatur brachte sie zu der Überzeugung, daß hier bereits eine klare Vorstellung von einem höchsten Wesen vorhanden sei. Manche Jesuiten interpretierten die chinesische Religion als eine Art Monotheismus und trugen keine Bedenken, die chinesischen Gottesnamen als Bezeichnung für den christlichen Gott zu verwenden. Doch schon bald gab es unter den ersten Christen Mißverständnisse, da manche chinesische Gelehrte mit diesen Termini auch den materiellen Himmel bezeichneten.[43]

---

[39] Hierzu: H. Wallis, „Die Kartographie der Jesuiten am Hof in Peking"; Th.N. Foss, „A Western Interpretation of China", 209-213; ders., „La cartografia di Matteo Ricci".

[40] R. Laurentin, *Chine et christianisme*, 119f.

[41] G. Dunne, *Das große Exempel*, 228-230.

[42] R. Laurentin, *Chine et christianisme*, 124.

[43] S. Reil, *Kilian Stumpf (1655–1720)*, 95. Riccis Missionsmethode wurde kontrovers erörtert, vornehmlich im Hinblick auf terminologische Fragen. Bezeichneten *Shangdi* (Herr in der Höhe), *Tian* (Himmel) oder *Taiji* (letztes Prinzip) Gott? Den neu an-

Riccis und anderer Jesuiten Erfolge beim Gründen von Missionen in einer Anzahl chinesischer Städte begeisterten den General der Gesellschaft Jesu so sehr, daß er die Zahl der Mitglieder im Landesinneren erhöhte. Macau blieb der Ausgangspunkt nach China. Um die neu angekommenen Jesuitenmissionare auf ihre Aufgabe umfassend vorzubereiten, mußten diese die chinesische Sprache und Schrift lernen sowie mit den landesüblichen Gesellschaftsformen und lokalen Gebräuchen vertraut gemacht werden. Deshalb hatte Valignano den General der Gesellschaft Jesu in Rom um Erlaubnis ersucht, in Macau eine Universität zu gründen, deren Zweck darin bestehen sollte, die neuen Ordensmitglieder für ihren Missionseinsatz in China und Japan disponibel zu machen. Dieser Bitte war 1594 entsprochen und das St.-Paul-Kolleg in Macau in eine Universität umgewandelt worden, an der Chinesisch, Latein, Philosophie, Theologie, Mathematik, Astronomie, Physik, Medizin, Rhetorik und Musik gelehrt wurden. Die wichtigsten Disziplinen waren chinesische Sprache und Schrift. „Dies war die erste Universität der Jesuiten in Ostasien; sie wurde ein Meilenstein der Vermittlung westlicher Kultur in China und chinesischer Kultur im Westen.“[44]

Außer den Jesuiten kam auch die Mehrzahl der Franziskaner, Dominikaner und Augustiner, die in China eine Missionstätigkeit ausüben sollten, durch Macau. Sowohl der Kangxi- wie auch der Qianlong-Kaiser verlangten später, daß zum Erhalt der Genehmigung für den Aufenthalt als Missionar auf dem chinesischen Festland jeder länger als zwei Jahre in Macau gelebt und Chinesisch gelernt haben mußte.

> Wie die missionarischen Arbeitskräfte wurden auch die Gelder für die Verbreitung des Glaubens unter den verschiedenen Missionskirchen in China von Macau aus verteilt. Macau blieb *de facto* der exklusive katholische Zugangshafen nach China, nicht nur für die Gesellschaft Jesu, sondern auch für die anderen Orden, die im Reich der Mitte missionieren wollten.[45]

In die schweren Wirren des Dynastiewechsels von den Ming zu den Qing, der das Resultat zweier nahezu zeitgleicher Entwicklungen gewesen war – einer-

---

kommenden Missionaren schien lediglich *Tianzhu* (Herr des Himmels) als Name für den christlichen Gott akzeptabel, jedoch die Buddhisten verliehen ihren Götzenbildern denselben Namen. Und hatte *Tian jing* (den Himmel bewundern) eine materielle oder eine spirituelle Bedeutung? Jedenfalls verbot die römische Glaubenskongregation 1612 schließlich *Tian* und *Shangdi* als Bezeichnung für den christlichen Gottesbegriff und erlaubte nur noch die Verwendung des Wortes *Tianzhu* (ebd., 95f.). Zu dieser Problematik: J. Dehergne, „Un problème ardu“.

[44] Huang Qichen, „Macau, eine Brücke für den Kulturaustausch“, 335. Zu dieser Bildungsstätte: D.M. Gomes dos Santos, „Die erste westliche Universität im Fernen Osten“; A.B. Chang, „Die Bedeutung des St. Pauls-Kollegs“.

[45] Huang Qichen, ebd., 335.

seits hatte die Schwäche der Ming zur Anarchie und andererseits eine neue Macht im Norden der Großen Mauer zur Etablierung der Tungusen geführt –, fiel unter der Leitung des aus Sizilien stammenden Niccolò Longobardi (1565–1655), der nach Riccis Tod Missionsoberer der Jesuiten geworden war, jedoch nicht dessen geistige Weitsicht und Offenheit besaß, die weitere Ausbreitung des Christentums, die durch diese Staatskrise erheblich behindert wurde. Die in China von prominenten Beamten häufig praktizierte Polygamie sowie das Faktum, daß viele Mandarine sich Konkubinen hielten, stellte ein erhebliches Hindernis für deren Konversion dar.[46]

Um die Evangelisierung solider und nachhaltiger zu gestalten, reiste 1612 der belgische Jesuit Nicolas Trigault (1577–1628) nach Rom, um die kirchenrechtliche Stellung der chinesischen Brüder zu regeln, ferner um von Paul V. (1566–1572) die Erlaubnis zu erbitten, das Chinesische in der Liturgie verwenden zu dürfen wie auch Erleichterungen für die Ordination von Gelehrten zu erhalten. Im Juni 1615 wurde dem Ersuchen entsprochen. Trigault kehrte in Begleitung der beiden ersten deutschen Jesuiten, Johann Schreck (latinisiert: Terrentius) (1576–1630) und Johann Adam Schall von Bell (1592–1666), nach China zurück.[47] Wegen einer heftigen Verfolgung der Christen in Nanking konnten sie erst 1623 nach Peking gelangen. Hier betraute der chinesische Gelehrte Paul Xu Guangqui 1629 Schall und Terrenz mit der Reform des für den Kaiserhof äußerst wichtigen Kalenders. Schall avancierte 1644 zum Direktor des Astronomischen Amts in Peking.[48]

Die missionarischen Unternehmungen reichten weit über Peking hinaus, sie wurden aber zunehmend durch die Problematik der christlichen Nomenklatur und durch den wegen konzeptioneller Meinungsverschiedenheiten über die sachgemäße Missionsmethode – zunächst nur innerhalb der Gesellschaft Jesu – ausbrechenden Ritenstreit empfindlich belastet. Dieser Konflikt verschärfte sich zusätzlich, nachdem Rom 1600 spanischen Dominikanern, Franziskanern und Augustinern erlaubt hatte, ebenfalls in China Mission zu betreiben. Das Entstehen der Ritenfrage, die zum Ritenstreit eskalierte und schließlich der Gesellschaft Jesu sehr geschadet hat, wollen manche Forscher in dieser Zulassung der Mendikanten sehen, durch die die missionstheologische Homogenität nicht mehr gewährleistet gewesen sei.[49] Eine solche Sichtweise wi-

---

46 G. Dunne, *Das große Exempel*, 143.

47 S. Reil, *Kilian Stumpf (1655–1720)*, 26f.

48 Ph. Lécrivain, „Die Faszination des Fernen Ostens“, 767.

49 Ganz Ostasien mit China und Japan war ursprünglich Missionsgebiet der Jesuiten gewesen. Dieses Exklusivrecht wurde mit der Zeit beseitigt. Gregor XIII., durch das Dekret „Ex pastorali officio“ vom 28. Januar 1585, Klemens VIII. (1600) und Paul V. (1611) hoben dieses Privileg teilweise auf, Urban VIII. (1633) annullierte es vollständig. Aufgrund der restriktiven chinesischen Gesetze konnten erst 1631 der erste Domini-

derspricht dem eindeutigen historischen Befund. In der Beurteilung der Riten waren die Jesuiten keineswegs völlig einer Meinung. Rivalitäten, Zwietracht und Spaltung aufgrund nationaler Antagonismen und divergenter theologischer Positionen herrschten unter ihnen bereits vor der Ankunft von Missionaren anderer Orden. Deshalb läßt sich die These nicht halten, die Ritenfrage sei erst nachträglich durch die Bettelmönche und Rom virulent geworden. Vielmehr scheint es so gewesen zu sein, daß die Kontroverse, die man bei allem Bemühen nicht hatte beenden können, sich mit der Ankunft der ersten Dominikaner und Franziskaner lediglich verschärfte.

Für die Entwicklung und das Schicksal des Christentums in China war die Diskussion um den Vollzug der Riten zu Ehren des Konfuzius und der Ahnen[50] sowie der gesamte Problemkomplex, der in den sogenannten Ritenstreit einmündete, ungleich gravierender und folgenschwerer als die Kontroverse um die geeignete und theologisch legitime Bezeichnung für Gott, die Debatte über die christlichen Termini und die damit in engem Konnex stehenden Fragen der Übersetzung von Hl. Schrift und Missale sowie die der Zulassung von Chinesen zur Priesterweihe.

Spanische Dominikaner machten 1634 in der südchinesischen Provinz Fukien eine bestürzende Beobachtung. Die von den Jesuiten unterwiesenen chinesischen Christen verwendeten bei ihren familiären Ahnen-Gedenkfeiern denselben Terminus (*ji*), mit denen sie auch die Eucharistiefeier bezeichneten. Bei diesen Gedenkfeiern wurden vor den Täfelchen der Ahnen nicht nur Kerzen angezündet, sondern auch Weihrauch gebraucht, Proskynese geleistet, schließlich Speisen und Getränke als Opfer dargebracht, um danach gemeinsam verzehrt zu werden. Für die Dominikaner stand fest, daß diese Christen weiterhin Götzendienst trieben, es abergläubische und idolatrische Handlungen waren. Deshalb wurden sie vor die Alternative gestellt, sofort die Ahnentäfelchen zu verbrennen oder sich fortan nicht mehr Christen zu nennen. Diese beriefen sich auf die Jesuiten, die ihnen derartige Praktiken erlaubt hätten.[51]

---

kaner und zwei Jahre später der erste Franziskaner in China eine Missionstätigkeit ausüben.

50 Seit alters her wird die rituelle Totenverehrung in China gepflegt. Der Ahn ist zugleich Geschlechtserhalter und -beschützer. Kaiserliche Ahnen galten als Stütze der Dynastie. Man glaubte, die Seele des Ahnen durch ein Ritual herbeirufen zu können. Bei der Darbringung der Opfer, durch die die Hinterbliebenen auch mit den Ahnen in Kontakt treten konnten, wurden auch wichtige Familienangelegenheiten entschieden. Der Ahnenkult demonstrierte auch den Reichtum eines Geschlechts und war ein Mittelpunkt des gesellschaftlichen Lebens, in der der einzelne Verwandte seinen genau bestimmten Platz in der Geschlechterhierarchie innehatte. Dazu: R. Haas, „Chinas Zivilisation des Todes".

51 B.M. Biermann, *Die Anfänge der neueren Dominikanermission in China*, 43f.

Der daraus resultierende Konflikt zwischen Mendikanten und Jesuiten erschütterte die ostasiatischen Missionen über ein Jahrhundert. Bei diesen Auseinandersetzungen ging es letztlich um die Frage, ob die Riten der Ahnenverehrung wie auch der Konfuziusverehrung einen genuin religiösen oder einen bürgerlich-profanen Charakter und Sinn hatten.[52] Folglich bestand dringender Klärungs- und Handlungsbedarf.

Im Jahr 1645 unterbreitete der Dominikaner Juan Bautista de Morales (1597–1664) erstmals der Kongregation *„de Propaganda Fide“* fünfzehn Fragen über die Zulässigkeit der Riten. Diese Anfrage führte zur ersten römischen Entscheidung zu den Riten in China durch Dekret der *Propaganda* vom 12. September 1645, die für die Jesuiten negativ ausfiel.[53] Nach Ansicht der Jesuiten basierte die Entscheidung auf einer unkorrekten Erörterung des Sachverhalts durch Morales, weshalb sie ihren Standpunkt durch Martino Martini (1614–1661) richtigstellen ließen. Daraufhin entschied die *Propaganda Fide* mit Dekret vom 23. März 1656 zugunsten der Jesuiten. Schon bald kam in Rom und andernorts der nicht verstummen wollende Verdacht auf, dieses Dekret beruhe auf irreführenden Darlegungen Martinis.[54]

Da der Konflikt über die Riten unter den Chinamissionaren weiter virulent war, beauftragte Innozenz XII. (1691–1700) Msgr. Charles Maigrot MEP (1652–1730), seit 1687 Apostolischer Vikar von Fukien, erneut mit einer Untersuchung. Aufgrund seiner Recherchen untersagte er im März 1693 den Missionaren seines Vikariats, auf die römische Entscheidung von 1656 zu rekurrieren, da sie auf unzutreffenden Aussagen basiere. In Peking bemühten sich die Jesuiten, von dem ihnen wohlgesinnten Kaiser Kangxi ein Dokument zu erhalten, aus dem unstrittig hervorging, daß die Riten zur Verehrung des Konfuzius und der Ahnen sowie das Benutzen von Ahnentafeln der Inter-

---

52 Zur komplexen Problematik des Ritenstreits und seines dramatischen Verlaufs außer der bereits erwähnten Literatur: A. Huonder, *Der chinesische Ritenstreit*; K. Schatz, „Inkulturationsprobleme im ostasiatischen Ritenstreit des 17./18. Jahrhunderts“ (mit Ergänzungen erneut publiziert unter der Überschrift: „Inkulturation und Kontextualität in der Missionsgeschichte am Beispiel des Ritenstreits“, vgl. Bibliographie); G. Minamiki, *The Chinese Rites Controversy*; C. von Collani, „Leibniz und der chinesische Ritenstreit“, 156-163; St. Puhl, „Zu den Gründen für das Scheitern“; Y. Raguin, „Das Problem der Inkulturation und der chinesische Ritenstreit“; J.S. Cummins, *A Question of Rites*; D.E. Mungello (ed.), *The Chinese Rites Controversy*. Zahlreiche Texte zum Ritenstreit sind zusammengestellt und mit entsprechenden Einführungen ins Englische übertragen in: D.F.St. Sure - R.R. Noll (eds.), *100 Roman Documents Concerning the Chinese Rites Controversy (1645–1941)*.

53 St. Puhl, *op. cit.*, 430.

54 Ebd.

pretation der Jesuiten entspreche. Ein handschriftliches Reskript des Kaisers vom 30. November 1700 bestätigte dies.[55]

Angesichts der verhärteten Positionen und der sich verschärfenden Kontroversen beauftragte Klemens XI. (1700–1721) den Patriarchen von Antiochien, Charles-Thomas Maillard de Tournon (1668–1710), als sein Legat, am Kaiserhof zu Peking eine definitive Klärung herbeizuführen. Für den Verhandlungsverlauf verhängnisvoll erwies sich der Umstand, daß das Hl. Offizium am 20. November 1704 bereits eine weitere Entscheidung getroffen hatte, diesmal gegen die Jesuiten. Mehrere Unterredungen mit Kangxi 1706 zeitigten kein Ergebnis, weshalb Tournon unverrichteter Dinge nach Nanking abreiste. Hier erreichte ihn die kaiserliche Ausweisung nach Macau, wo er am 30. Juni 1707 eintraf und fast genau drei Jahre später verstarb.[56]

Durch die Auseinandersetzungen um die Ritenangelegenheit in ihrem Selbstverständnis kompromittiert, entzogen Kaiser Kangxi und hohe Beamte den christlichen Missionen zusehends ihr Wohlwollen, was Schlimmstes befürchten ließ. Wegen dieser prekären Situation richtete der aus Würzburg stammende und am Kaiserhof tätige Jesuit Kilian Stumpf (1655–1720) am 10. März 1717 einen siebenseitigen Brief an Klemens XI., in dem er ihn auf die große Gefahr für die Chinamission hinwies und ihn bat, die Apostolische Konstitution „Ex illa die“ vom 19. März 1715 auszusetzen.[57] Trotz gleichzeitiger Intervention über die Fürstenhäuser Europas beim Papst blieb Stumpf der Erfolg versagt. Die dramatisch sich zuspitzende Kontroverse in der Ritenfrage überschattete seine letzten Lebensjahre, darüber hinaus fiel er in Ungnade bei Kangxi. Um die Anschuldigungen des franziskanischen Generalvikars Carlo Orazi da Castorano, der im Dezember 1716 einen Katalog vernichtender Anklagen gegen die Jesuiten an die *Propaganda* geschickt hatte, zu widerlegen, verfaßte Stumpf unter Assistenz der Pekinger Jesuiten die Verteidigungsschrift „Informatio pro veritate“, die 1717 im Druck erschien.[58] Darin wird der verzweifelte Versuch unternommen, sämtlichen Chinamissionaren und insbesondere dem Hl. Stuhl zu dokumentieren, daß die Jesuiten in China bisher korrekt gehandelt haben. Von dieser Publikation hatte Stumpf sich eine

---

55 G. Minamiki, *The Chinese Rites Controversy*, 40-49.

56 St. Puhl, „Zu den Gründen für das Scheitern“, 432f.

57 S. Reil, *Kilian Stumpf (1655–1720)*, 173. Als Antwort auf die Apostolische Konstitution „Ex illa die“ hatte Kaiser Kangxi 1716 das „Rote Edikt“ erlassen. Danach mußte jeder Missionar ein rotes Zertifikat, das sogenannte *piao*, beantragen und mit sich führen, um sich im Land legal aufhalten zu können (Li Wenchao, *Die christliche China-Mission im 17. Jahrhundert*, 584).

58 S. Reil, *op. cit.*, 178-180. Zur Rolle Stumpfs in der Ritenfrage siehe außerdem: C. von Collani, „Kilian Stumpf SJ zur Lage der Chinamission im Jahre 1708 (I+II)“.

entscheidende Wende zugunsten der Anliegen der Jesuiten versprochen, statt dessen traf das Gegenteil ein. Januar 1720 wurde die Schrift indiziert mit der Begründung, sie versage der *Propaganda*-Kongregation, ihren Missionaren und der päpstlichen Autorität die gebührende Ehrfurcht.[59] Unter dem Druck der römischen Missionszentrale forderte der Jesuitengeneral Michele Tamburini ihren Autor Ende Februar 1720 auf, China umgehend zu verlassen.[60] Nur Stumpfs Tod am 24. Juli desselben Jahres ersparte ihm dieses Opfer.

Als 1720 der Negativbescheid des Papstes Kaiser Kangxi von zwei Legaten mitgeteilt wurde, wies dieser ihn als unstatthafte Einmischung in die inneren Angelegenheiten des Landes empört zurück und ließ sämtliche Missionare ausweisen, die sich von den Anordnungen aus Rom nicht distanzieren wollten. Sein Nachfolger Yongzheng (1722–1736) ging weiter. Ein kaiserliches Ächtungsedikt verwies 1724 die ausländischen Glaubensboten aus dem ganzen Reich, lediglich die Gruppe der direkt am Hof wissenschaftlich tätigen Missionare durfte bleiben. Alle anderen mußten nach Kanton und von 1732 an nach Macau ausreisen.[61] Auch wenn die kaiserliche Anordnung nicht überall streng befolgt wurde, so bedeutete diese Maßnahme doch praktisch das Ende der Missionstätigkeit in China.

Kirchlicherseits zog die am 11. Januar 1742 von Benedikt XIV. (1740- 1758) erlassene Bulle „Ex quo singulari"[62] einen definitiven Schlußstrich unter die bereits verbotenen Missionsmethoden der Jesuiten und die Anpassung an die Riten. Rom hatte sich zu diesem spektakulären Schritt gezwungen gesehen, da die Diskussion um die Ritenfrage zwischen Jesuiten und Ritenbefürwortern einerseits und ihren dezidierten Gegnern andererseits in unverminderter Härte fortgesetzt worden war. Es vergingen nahezu einhundert Jahre, bis unter völlig geänderten Bedingungen die Missionsarbeit in China offiziell wieder aufgenommen werden konnte. Als Fazit dieser Periode bleibt festzuhalten:

---

59 S. Reil, *op. cit.*, 180-182.

60 Ebd., 182.

61 Ph. Lécrivain, „Die Faszination des Fernen Ostens", 776. Qianlong, der 1736 seinem Vater Yongzheng auf den Thron folgte und 61 Jahre regierte, setzte die Politik seines Vaters gegenüber den „jesuitischen Wissenschaftlern" fort, galten sie doch weiterhin als unverzichtbare Fachleute für zahlreiche Bereiche (ebd., 776-778).

62 Die Reaktion im kaiserlichen China auf die römische Entscheidung war bestürzend. Weitere Verfolgungsdekrete wurden erlassen, wodurch sich die Situation für die noch im Land weilenden Missionare drastisch verschlechterte (ebd., 778f.). Aufgrund eines kaiserlichen Edikts von 1814 war jeder Missionar in China grundsätzlich zum Tod verurteilt. Die endgültige päpstliche Verurteilung der Riten hatte zwei Jahrhunderte Gültigkeit. Zur grundlegenden Revision: B.M. Biermann, „Die Ehrung des Konfuzius und der Ahnen in China".

Die Chinamission der Jesuiten im 17. und 18. Jahrhundert ist wohl eines der faszinierenden Abenteuer in der Weltgeschichte, in das sich eine kleine und immer überschaubare Gruppe uns namentlich bekannter Männer stürzte - nicht um neue Seewege, die Durchdringung neuer Kontinente oder die Eroberung fremder Mächte ging es hier, sondern um die Begegnung mit dem völlig Fremden und um das Bemühen, Religion und Kultur des Abendlandes im Dialog einer völlig andersartigen Hochkultur verständlich zu machen. Es darf nicht verwundern, daß auch für dieses Unterfangen galt, daß viel Schatten zu finden ist, wo viel Licht ist. ... Keiner der genannten Gründe, der die Missionsarbeit der Jesuiten in China gefährdete, mußte zwangsläufig zum Scheitern der Chinamission führen, ihr Wechselspiel ließ das Scheitern allerdings in größere Nähe zur Wahrscheinlichkeit geraten. Es erscheint also unzulässig, einen einzigen Grund als die alleinige Ursache für das Scheitern der Chinamission der Jesuiten herauszugreifen.[63]

---

[63] St. Puhl, „Zu den Gründen für das Scheitern", 434. Zu den Schwierigkeiten und unbewältigten Problemen vielfältiger Art, mit denen die Missionare im Reich der Mitte sich konfrontiert sahen, zu den im Widerspruch mit den herrschenden geistigen Strömungen stehenden Ideen und zu den Faktoren, die den Prozeß gegen das Missionswerk ausgelöst und ihm dann ein herbes Ende bereitet haben, siehe die an Hand zahlreicher chinesischer Texte und Zeugnisse von Jacques Gernet erstellte subtile Untersuchung, derzufolge es nicht zur eigentlichen kulturellen Begegnung zwischen westlichem und chinesischem Denken gekommen ist: *Chine et christianisme, action et réaction*, Paris 1982, die in deutscher Übersetzung erschienen ist unter dem Titel *Christus kam bis nach China. Eine erste Begegnung und ihr Scheitern*, München - Zürich 1984. Gernets Hauptthese ist die Unvereinbarkeit einiger christlicher Konzepte mit der konfuzianischen Tradition, womit er den mangelnden Erfolg der Mission im Reich der Mitte erklärte. Auch wenn man dem Verfasser nicht in allen seinen Schlußfolgerungen beipflichten kann, so behält der Grundduktus seiner Analyse, Argumentation und Beurteilung m.E. weithin Gültigkeit. Mehrere Rezensenten, die Gernets Untersuchung durchaus als verdienstvoll würdigen, bemängeln seine bisweilen undifferenzierte, von massiven Negativurteilen besetzte Kritik. So wirft ihm beispielsweise Walter Kern „grob einseitige eigene Vorstellungen vom Christentum" vor (in: *Zeitschrift für katholische Theologie* 108 [1986] 227); in die gleiche Richtung zielen die ausführlichen Besprechungen von Henri Dumoulin, „Die Antwort der Chinesen. Über die frühe Jesuiten-Mission", in: *Christ in der Gegenwart* 39 (1987) 29f., und von Georg Evers, in: *ZMR* 71 (1987) 235f. Zu dieser komplexen Problematik: D. Sachsenmaier, „Die Erforschung des Christentums in China".

Zweites Kapitel
Das Kolleg der Chinesen von Neapel

1.
Gründung des Kollegs durch Matteo Ripa

Am 5. Februar 1712, zwei Tage vor dem chinesischen Neujahrsfest, versammelte sich Kilian Stumpf (1655–1720), seit Anfang des Jahres 1710 Rektor am Jesuitenkolleg zu Peking, mit den anderen in der Hauptstadt ansässigen Missionaren im Kaiserpalast – unter ihnen befand sich Matteo Ripa, Weltpriester und Missionar der *Propaganda*-Kongregation[1] –, um Kangxi für die Neujahrsgeschenke zu danken und ihm segensreiche Wünsche zu überbringen, als die Leiter der „kaiserlichen Missionsbehörde" ihn wissen ließen, daß der Kaiser fest entschlossen sei, abermals Jesuiten nach Europa zu schicken, um endlich Gewißheit über die von Rom getroffenen Entscheidungen in der Ritenfrage zu erhalten. Auf kaiserliche Weisung sollte diesmal die Reise auf dem Landweg über Moskau gehen.[2] Unter den Missionaren, die sich bereit fanden, als kaiserliche Gesandte die strapaziöse Reise auf sich zu nehmen und den Auftrag auszuführen, war auch der erwähnte Ripa, der im Unterschied zu Stumpf, der sich für die Beibehaltung der bisherigen Ritenpraxis engagiert einsetzte, diese entschieden ablehnte.[3] Nach intensiven Konsultationen fiel Kangxis

---

[1] Gelegentlich wird Matteo Ripa in der Literatur als Jesuit bezeichnet (*Handlexikon der katholischen Theologie für Geistliche und Laien*, Bd. 4, Regensburg 1900, 40), vermutlich, weil er von 1711 bis 1723 als Kunstmaler, Holzintarsiengestalter und Graveur im Dienst des chinesischen Kaisers gestanden hat. S. Reil hält ihn für einen Lazaristen (*Kilian Stumpf (1655–1720)*, 159 und 189).

[2] Zur Begründung für diese Route: ebd., 149f.

[3] Ebd., 189. Matteo Ripa, am 29. März 1682 in Eboli bei Salerno geboren, begab sich mit fünfzehn Jahren zur Fortsetzung seiner Studien nach Neapel. Am 21. Mai 1705 zum Priester geweiht, stellte er sich der *Propaganda*-Kongregation für die Chinamission zur Verfügung. Mitte Oktober 1707 verließ er mit fünf anderen *Propaganda*-Missionaren Rom in Richtung China. Die Gruppe erreichte am 3. Januar 1711 Macau; Klemens XI. hatte sie beauftragt, dem päpstlichen Legaten Charles-Thomas Maillard de Tournon das Kardinalsbirett zu überreichen und dann in ihre Mission weiterzureisen. Ripa war äußerst bestürzt und aufgebracht, als er erfuhr, Tournon habe ihn Kaiser Kangxi als Maler präsentiert, statt dessen wollte er sich ganz dem Dienst der Evangelisierung widmen und nicht als Höfling leben und die Leinwand bemalen. Nirgendwo erwähnt Ripa vor seiner Ankunft in Macau seine künstlerischen Malfähigkeiten, noch wo und wie er

Wahl auf die beiden Jesuiten Ehrenbert-Xaver Fridelli (1673–1743) und João Mourão (1681–1726).[4] Die nach Rom vorgesehene Reise kam jedoch nicht zustande, da der Kaiser sie nach einiger Zeit für gegenstandslos erklärt hatte; über seine ihn dazu bewogenen Gründe gibt es unterschiedliche Mutmaßungen.[5]

Da das Leben im Dienst des Kaisers schwer auf Matteo Ripa lastete, das so grundverschieden von dem eines aktiven Missionars war und nicht seiner Berufung entsprach, hatte er sich wiederholt an die *Propaganda* gewandt mit der Bitte, ihn in eine Provinz Chinas zu schicken, damit er sich direkt dem Missionswerk widmen könne. Neben diesem Grund gab es weitere ihn stark bedrückende Gegebenheiten, die ihm den Aufenthalt in diesem ostasiatischen Land je länger je mehr zur Qual machten.

Seit seiner Ankunft in Peking hatte Ripa sich entgegen der Gepflogenheit strikt geweigert, Seidenkleider zu tragen, weshalb er mit den übrigen Missionaren, vor allem mit den Jesuiten, in deren Residenz er wohnte, in Konflikt geriet. Außerdem verschlechterte sich die Atmosphäre für ihn dadurch, daß er regelmäßig Berichte über die Situation vor Ort nach Rom sandte und sich hartnäckig weigerte, in der Ritenfrage im Sinn der Mehrheit der Jesuiten Partei zu ergreifen. Diese Tatbestände brachten ihn schließlich dazu, China zu verlassen und eine andere wichtige Aufgabe, die allmählich in seinen Überlegungen feste Konturen angenommen hatte, in Angriff zu nehmen, und zwar in Neapel ein Seminar für junge Chinesen und eine Kongregation von Weltpriestern zu gründen, die der Erziehung und geistlichen Begleitung der chinesischen Studenten sich widmen sollten, ferner ein Kolleg für europäische Priesteramtskandidaten, die in den auswärtigen Missionen arbeiten wollten.[6]

---

sie sich angeeignet hat. Dennoch sind seine 36 Ansichten vom Sommerpalast in Jehol berühmt geworden. Nähere biographische Angaben: G. Nardi, *Cinesi a Napoli*; J. Emanuel, „Matteo Ripa", 131f.; Christophe Comentale, *Matteo Ripa, peintre - graveur - missionnaire à la Cour de Chine*; N. Cameron, *Barbarians and Mandarins*, 263-287.

4 S. Reil, *op. cit.*, 152.

5 Über die Absage der Reise sind verschiedene Vermutungen geäußert worden. Stumpf etwa meinte, es seien politische Motive gewesen, die den Ausschlag gegeben hätten, während der in Peking residierende Franziskanerbischof Bernardino della Chiesa vermutete, daß der Kaiser durch die im Mai 1712 angekommenen Missionare von dem päpstlichen Dekret Kenntnis erhalten hatte und deshalb für eine kostspielige Gesandtschaft nach Rom keinen Anlaß mehr sah (ebd., 153f.).

6 J. Emanuel, „Matteo Ripa", 132f. mit Anm. 8. Umfassend zur Gründungsgeschichte: Matteo Ripa, *Storia della fondazione*; Camera dei Deputati, Relazione della commissione sul disegno di legge (N. 88-A), presentato dal Ministro della Istruzione Pubblica il 17 dicembre 1887: Riordinamento del Collegio Asiatico di Napoli, in: *Atti parlamentari - Senato del Regno (N. 137)*; G. Nardi, *Cinesi a Napoli* (Lit.).

Matteo Ripa verließ 1723 Peking zusammen mit fünf jungen Chinesen und einem chinesischen Lehrer für Sprache und Schrift des Mandarin. Am 20. November 1724 traf die Gruppe in Neapel ein, die dann den Ursprung der Institution bilden sollte. Bevor er China verließ, hatte er der *Propaganda* sein Vorhaben teilweise schriftlich zur Kenntnis gebracht, ohne allerdings die Rückantwort abzuwarten. Bei der Ankunft in Neapel erfuhr er, daß die *Propaganda* seine Pläne aufs höchste mißbillige und sehr ungehalten sei, weil er China aus eigenem Antrieb den Rücken gekehrt habe, während von Klemens XI. bereits das Breve „Pastoris aeterni" vom 29. Mai 1717 mit seiner Ernennung zum Apostolischen Vikar ausgefertigt worden sei. Überdies beanstande sie, daß er junge Chinesen mitgebracht habe, weil sie befürchte, sie müsse für deren Kosten, Unterkunft und Ausbildung aufkommen, da doch der päpstliche Legat Carlo Mezzabarba, Tournons Nachfolger, von ihr angewiesen worden sei, etwa ein Dutzend Chinesen für das Collegium Urbanum in Rom nach Europa zu bringen. Nach Lage der Dinge war Ripa erleichtert, auf diese Weise jeder Verpflichtung der *Propaganda* gegenüber enthoben zu sein und so sein Projekt in eigener Regie in Angriff nehmen zu können.[7]

Anfang Dezember 1724 ließ Benedikt XIII. (1724–1730) Matteo Ripa nach Rom kommen. Dieser hatte zuvor einen detaillierten Entwurf seines Vorhabens ausgearbeitet, den er dem Papst und den Kardinälen der *Propaganda* zur gefälligen Information übergeben wollte. Das Schriftstück bietet zunächst einen allgemeinen Überblick über das Konzept, das dann näher erläutert und begründet wird. Die interesseleitenden Gründe und Motive waren für Ripa im wesentlichen folgende:

1. Für das Werk der Glaubensverkündigung müssen genügend Arbeitskräfte zur Verfügung stehen.
2. Wegen der extrem weiten Entfernung zwischen Europa und China sowie der enormen Kosten für die Ausstattung und Reise von Missionaren ist es ratsam, Einheimische für diese Aufgabe auszubilden.
3. Die gegenwärtige Praxis erfordert hochbegabte Missionare, die mit Mitgliedern der höheren Gesellschaftsschichten Umgang zu pflegen imstande sind. Das einfache Volk wird von Katechisten unterwiesen, die dafür vom Missionar bezahlt werden.
4. Angesichts der enormen Schwierigkeit der chinesischen Sprache sehen sich nicht wenige Missionare genötigt, mit Dolmetschern zu arbeiten.
5. Das ganz andere Aussehen der Missionare und ihre Unfähigkeit, sich des Chinesischen zu bedienen, macht es ihnen in Zeiten der Verfolgung unmöglich, sich unentdeckt verborgen zu halten und ihre Christengemeinde seelsorgerlich zu betreuen.

---

[7] M. Ripa, *Giornale (1705–1724)*, Bd. 2, 203f.

6. Chinesische Alumnen, die das Priestertum nicht erreichen, können als ausgezeichnete Katechisten wirken.
7. Chinesische Priester, die nicht mit den höheren Kreisen verkehren, leben wirtschaftlich besser.
8. Zitat eines Schreibens der *Propaganda* vom 25. August 1715, das chinesische Schüler akzeptiert. Papst Klemens XI. habe sich klar dahingehend geäußert, daß ein derartiges Vorgehen das einzig richtige sei, „um die christliche Religion in diesem ungeheuer weiten Reich gründlich zu fundieren und sie von einer externen zu einer einheimischen werden zu lassen".[8]

In Rom machte Kardinal Giuseppe Sacripanti, Präfekt der *Propaganda*-Kongregation, Ripa heftige Vorwürfe, untersagte ihm die Etablierung eines Seminars in Neapel, das nur das Collegium Urbanum verdopple, und verlangte, die chinesischen Studenten nach Rom zu schicken. Zur Strafe für sein eigenmächtiges Verhalten hintertrieb der Kardinal mehrere Wochen lang eine Audienz beim Papst,[9] offensichtlich, weil er in Ripas Plan ein scharfes Konkurrenzunternehmen zum Collegium Urbanum erblickte.

Ripa wurde schließlich am 19. Januar 1725 von Benedikt XIII. in Audienz empfangen, bei der er dem Papst ein detailliertes Konzept des Projekts überreichte. Dieser versprach, sich gründlich damit zu beschäftigen. In der folgenden Audienz erklärte der Papst, den Plan grundsätzlich zu billigen. Er werde Kardinal Giuseppe Renato Imperiali, ein Mitglied der *Propaganda*-Kongregation und Freund Ripas, mit der Angelegenheit betrauen. Imperiali legte den Plan erfahrenen Missionaren, die mehrere Jahre in China gelebt hatten, zur kritischen Begutachtung vor, die ihn mehrheitlich befürworteten.[10] Gegen den erbitterten Widerstand der obersten römischen Missionszentrale billigte Benedikt XIII. mit Dekret vom 15. März 1725 vorläufig das Projekt. Mit diesem Billigungsdekret und Empfehlungsschreiben des Staatssekretariats an Kardinal Francesco Pignatelli, den Erzbischof von Neapel, an den Apostolischen Nuntius Domenico Alamanni und an Kardinal Michele d'Althan, den Vizekönig, kehrte Ripa nach drei Monaten hochzufrieden nach Neapel zurück.[11]

Bevor man jedoch der Errichtung des Kollegs nähertreten konnte, mußte zunächst das Einverständnis des „Spanischen Rats" für Italien eingeholt werden, da das Königreich Neapel durch den Friedensschluß von Utrecht vom

---

[8] J. Emanuel, „Matteo Ripa", 134.

[9] M. Ripa, *Giornale (1705–1724)*, Bd. 2, 219; G. Nardi, *Cinesi a Napoli*, 296-298.

[10] M. Ripa, *Storia della fondazione*, Bd. 2, 240f.

[11] J. Emanuel, „Matteo Ripa", 135.

11. April 1713 an Österreich gefallen war.[12] Kardinal d'Althan, kaiserlicher Vizekönig, legte am 29. Mai 1725 dem Königlichen Rat (*Collaterale Consiglio*) eine Denkschrift Ripas zur Beratung vor, in der er um die Erlaubnis nachsuchte, am Rande der Stadt ein Missionsseminar zur Bekehrung von Nichtchristen in China und anderen benachbarten Ländern gründen zu dürfen. Die Verhandlungen erwiesen sich als äußerst kompliziert und brachten fürs erste kein Ergebnis, da unter anderem darauf insistiert wurde, daß die ins Auge gefaßte Einrichtung unter dem Patronat und der Jurisdiktion des Königs stehen müsse. Dazu fand Ripa sich aber nicht bereit. Diese Forderung stellte bei den folgenden Konsultationen das Haupthindernis für die staatliche Genehmigung dar.[13] Deshalb verlangte man von Ripa, ein anderes Schriftstück zu erstellen, das den staatlichen Auflagen Rechnung trug, worauf er sich aber nicht einließ. Statt dessen wandte er sich unmittelbar an Benedikt XIII. mit dem Ersuchen, dem Vizekönig sein Vorhaben zu empfehlen. Der Papst gewährte ihm die Bitte, indem er am 4. August 1725 Kardinal d'Althan ein Breve sandte, mit dem er die Gründung der Priester-Kongregation der Hl. Familie und die Gründung des Kollegs für Chinesen in Neapel nachdrücklich guthieß.[14] Das päpstliche Empfehlungsschreiben wurde am 17. Oktober dem Rat zur Kenntnis gebracht. Doch erst am 9. Januar 1726 befürwortete dieser das Projekt und empfahl es Kaiser Karl VI. (1685–1740), allerdings unter der Bedingung, daß Chinesen und Europäer nur dann in das Kolleg aufgenommen werden könnten, wenn sie sich eidlich verpflichteten, zur Evangelisierung nach China und in andere Länder zu gehen. Diese einschränkende Klausel

---

[12] Der Friede von Utrecht zwischen Frankreich, Großbritannien, den Generalstaaten, Savoyen, Preußen und Portugal legte fest, daß der Bourbone Philipp V. spanischer König blieb; Spanien behielt alle Kolonien. Es wurde ein strenges Verbot jeder Personal- oder Realunion mit Frankreich vereinbart. Die spanischen Besitzungen in Italien (Neapel, Sardinien und Mailand) und in den Niederlanden wurden österreichisch. Die Generalstaaten erhielten sieben Grenzfestungen gegen Frankreich in den südlichen Niederlanden. Großbritannien behielt Gibraltar und Menorca; von Frankreich bekam es Neufundland, Neuschottland und die Hudsonbai; Spanien überließ ihm einen Teil des Sklavenhandels. Klemens XI. legte scharfen Protest dazu ein, daß Wien dadurch in Italien Fuß gefaßt hatte. Man erwog deshalb in der Hofburg sogar zeitweise eine Kirchenspaltung (R. Mandrou, *Staatsräson und Vernunft 1649–1775*, 231). Aus diesen und anderen Gründen stand es mit den Beziehungen zwischen Wien und Rom nicht zum besten. Zur Geschichte Italiens: A. Omodeo, *Die Erneuerung Italiens und die Geschichte Europas 1700 bis 1920*; B. Croce, *Geschichte Europas im neunzehnten Jahrhundert*; S. Furlani - A. Wandruszka, *Österreich und Italien*; R. Lill, *Geschichte Italiens in der Neuzeit*, (Lit.); G. Procacci, *Geschichte Italiens und der Italiener*; J. Bérenger, *Geschichte des Habsburgerreiches*; R. Brütting (Hrsg.), *Italien-Lexikon*.

[13] J. Emanuel, „Matteo Ripa", 135f.

[14] G. Nardi, *Cinesi a Napoli*, 553.

lehnte Ripa ab, erblickte er doch darin einen Hinderungsgrund für seine Absicht, eine Priester-Genossenschaft ins Leben zu rufen, die sein Werk unterstützen sollte.[15] Da weitere Verhandlungen zu keiner für beide Seiten befriedigenden Lösung führten, vielmehr der Rat unverrückbar auf seiner Position beharrte, begab sich Matteo Ripa im Juli 1726 nach Wien, um Kaiser Karl VI. seine Anliegen persönlich vorzutragen, er möge trotz des Verbots, neue fromme Werke zu errichten, die Gründung genehmigen und eine jährliche Finanzbeihilfe gewähren.[16]

In Wien ließ Ripa seine Denkschrift dem Spanischen Rat für Italien zustellen, der sich am 30. Juli zum ersten Mal damit beschäftigte, die Angelegenheit im übrigen dilatorisch behandelte, da man zunächst die Expertise des Vorsitzenden des Königlichen Rats (*Cappellano Maggiore*) in Neapel abwarten wollte. Am 9. August wurde Ripa von Kaiser Karl VI. empfangen, der sich offensichtlich aus wirtschafts- und handelspolitischen Nützlichkeitserwägungen im Hinblick auf das vorgesehene Projekt von Ripas Argumentation überzeugen ließ[17] und die erwähnten Klauseln annullierte. Er erklärte sich damit einverstanden, daß die Anwärter zunächst eine gründliche Ausbildung erhielten und erst nach Abschluß ihrer Studien ihre Bereitschaft zu bekunden hätten, ob sie sich dem Dienst der Glaubensverkündigung zu widmen gedachten. Solche Aspiranten sollten zur Prüfung ihrer Eignung nach Rom geschickt und erst danach als Missionare nach Asien gesandt werden. Ferner gab Karl

15 J. Emanuel, „Matteo Ripa“, 136.

16 Camera dei Deputati, Relazione, 6. Karl VI. war von 1700/03 bis 1714 König von Spanien, seit 1711 deutscher König und Kaiser.

17 Unter Kaiser Karl VI., der großen Wert auf eine prosperierende Wirtschaft legte, wozu unter anderem die Förderung des Verkehrs gehörte, wurden in Triest und Fiume Freihäfen eingerichtet, um die Adria handelsmäßig zu erschließen. Die spanische Regierungszeit hatte nämlich in Karl die Idee globaler Handelskommunikationen verstärkt. Aufgrund der ozeannahen Lage der unlängst erworbenen Niederlande wurde 1722 in Ostende die „Ostendische Handelskompagnie“ gegründet, die ein Handelsprivileg mit beiden Indien und Afrika erhielt sowie das Recht, Truppen zu halten, Verträge zu schließen und Territorien zu erwerben. Das bereits erfolgreiche Geschäft der Kompanie wurde jedoch 1731 durch den Vertrag von Wien ein Opfer außenpolitischer Komplikationen, die durch die Problematik der Pragmatischen Sanktion von seiten Großbritanniens und Hollands ausgelöst worden waren (R. Bauer, *Österreich*, 200 und 205). Die Aufnahme eines direkten Handels mit China und dem Fernen Osten kam einer Revolution gleich. Insofern paßte die beabsichtigte Gründung eines Kollegs für Chinesen in Neapel durch Ripa in sein Wirtschafts- und Handelskonzept. Denn die in ihm auszubildenden Chinesen könnten dabei wertvolle Dienste als Dolmetscher, Informanten und Vermittler leisten. Infolgedessen trug Karl VI. der Kompanie von Ostende auf, jedes Jahr zwölf Alumnen kostenfrei nach China zu bringen und von dort zwölf andere nach Neapel (Camera dei Deputati, Relazione, 7).

VI. sein Einverständnis, daß außer Chinesen Kandidaten aus den anderen ostasiatischen Ländern in das Internat aufgenommen werden könnten und daß es solchen Weltpriestern (*sacerdoti secolari*), die für ihren Unterhalt selbst sorgten, gestattet sei, sich dem Institut anzuschließen, um die Sprachen Chinas und der ostasiatischen Länder zu lernen sowie sich über deren Geschichte und Brauchtum unterrichten zu lassen, ohne sich durch einen Eid zur Missionsarbeit in diesen Gebieten verpflichten zu müssen. Darüber hinaus äußerte der Kaiser seine Absicht, eine Stiftung für die Anstalt zu errichten, die er mit jährlich achthundert Dukaten, für die bestimmte Bischofssitze aufzukommen hätten, ausstatten wollte.[18] Seinen sonstigen Anordnungen gemäß war eine rein weltliche Institution („una istituzione laica e civile") hinsichtlich der Mittel und Ziele zu schaffen. Diese sollte zwei Abteilungen besitzen, eine für die asiatischen Schüler, die für das Missionswerk vorgesehen waren - allerdings ohne diesbezügliche Verpflichtung -, die andere für europäische Kandidaten mit ausgeprägt säkularem Charakter und wissenschaftlicher Ausrichtung: Studium der chinesischen und übrigen ostasiatischen Sprachen sowie Unterweisung der Gewohnheiten und Konventionen der in diesen Regionen lebenden Völker.[19]

Als Ripa nach dieser Unterredung erfuhr, der Kaiser beabsichtige mit den jährlichen Subsidien das königliche Patronatsrecht über die Gründung zu verknüpfen und sie unter die Jurisdiktion des Ratvorsitzenden in Neapel zu stellen, verfaßte er eine weitere Denkschrift, in der er, durch das Breve Benedikts XIII. vom 4. August 1725 bestärkt, nun kundtat, eine Kongregation von Priestern ins Leben rufen zu wollen, die wie das Kolleg der kirchlichen, nicht jedoch der weltlichen Jurisdiktion zu unterstellen sei, um auf diese Weise jede Einflußnahme auf die internen Belange des Instituts zu verhindern. Statt des Patronatsrechts reklamierte Ripa für sein Werk lediglich den allgemeinen königlichen Schutz.[20]

Obwohl der Rat Ripas Erklärungen positiv bewertet hatte, erließ Karl VI. dennoch am 15. Januar 1727 ein Dekret, demzufolge das vorgesehene Werk unter königliches Patronatsrecht zu stellen war. Zugleich wies der Kaiser seinen Botschafter beim Hl. Stuhl, Kardinal Alvarez Cienfuegos, an, die Angelegenheit mit Benedikt XIII. zu erörtern. Ripa ließ man wissen, daß im Fall der päpstlichen Ablehnung der Kaiser dem Ersuchen um den bloß normalen königlichen Schutz nachkommen werde. Wie zu erwarten war, lehnte der Papst das Patronatsrecht entschieden ab. Der Bericht mit der Weigerung Benedikts XIII. erreichte Wien am 4. März. Trotz dieses Negativbescheids

---

18 Ebd., 6; J. Emanuel, „Matteo Ripa", 136; G. Nardi, *Cinesi a Napoli*, 305-318.

19 Camera dei Deputati, Relazione, 6f.

20 J. Emanuel, „Matteo Ripa", 136f.

billigte der Rat zehn Tage später die Gründung, die dem königlichen Schutz unterstehen sollte, sowie pro Jahr eine finanzielle Unterstützung des Instituts von achthundert Dukaten. Am 3. April bestätigte ein kaiserliches Dekret diese Ratsentscheidung;[21] zugleich sandte man Abschriften des Dokuments zur Information an Kardinal Cienfuegos und an den Vizekönig von Neapel.[22]

Da Benedikt XIII. dem Beschluß Karls VI. die Bestätigung verweigerte und das im Gegenzug vom Hl. Stuhl ausgefertigte Breve für Wien inakzeptabel war, erfolgte ein Verhandlungsstillstand. Erst nach fast einem Jahr konnte Cienfuegos dem Kaiser melden, Rom insistiere darauf, daß die Gründung unter der Jurisdiktion des Ortsordinarius zu stehen habe und unter königlichem Schutz nur insoweit, als er sich auf die bereits vorhandenen oder auf die noch zu erwerbenden zeitlichen Güter erstrecke.[23]

Am 17. Juni 1728 erfuhr Ripa in Rom, daß Wien das päpstliche Breve nicht anerkannt hatte. Deshalb war Kardinal Cienfuegos von seinem Souverän beauftragt worden, einen modifizierten Entwurf zu erstellen und ihn seinen Verhandlungspartnern zur Prüfung vorzulegen. In den Sitzungen vom 22. November und 14. Dezember 1728 berieten die Kardinäle der *Propaganda* darüber. Sie kamen überein, daß allein der Ortsordinarius für das Werk in geistlichen und weltlichen Dingen rechtlich zuständig sein müsse. Da der Kaiser sein diesbezügliches Einverständnis verweigerte, wurde die Angelegenheit erneut den Kardinälen der *Propaganda* zur Beratung vorgelegt. Bedingt durch den Tod Benedikts XIII. am 21. Februar 1730 blieb jedoch alles beim Status quo. Erst im November nahm man unter seinem Nachfolger Klemens XII. (1730–1740) die Beratungen über das von Ripa geplante Kolleg wieder auf. Schließlich genehmigte der Papst am 5. April 1731 das Institut unter bestimmten Prämissen.[24] Diesmal brachte Karl VI. keine Einwände vor, vielmehr erklärte er im Mai sein Einverständnis mit dem päpstlichen Reskript. Er wies den Botschafter beim Hl. Stuhl an, den Papst um ein entsprechendes Dokument zu ersuchen.[25] Es verging noch ein Jahr, bis Klemens XII. mit dem Breve „Nuper pro parte“ vom 7. April 1732 die Gründung der Weltpriesterkon-

---

21 Ebd., 137.

22 In einer Aufzeichnung des *Collaterale Consiglio* vom 6. September 1727 heißt es: „Risolve che con l'unica riserva della regia protezione ... senza fare altra istanza per lo patronato, si erigga o fondi il Collegio predetto dei Cinesi fuori le mura di questa Capitale, così vicino alla medesima“ (Zitat: ebd., Anm. 22).

23 Ebd., 137.

24 M. Ripa, *Storia della fondazione*, Bd. 2, 450.

25 J. Emanuel, „Matteo Ripa“, 138.

gregation der Hl. Familie Jesu Christi wie auch die des Kollegs für Chinesen offiziell anerkannte.[26]

In dem in vier Paragraphen gegliederten Schriftstück werden zunächst einzelne Phasen der diversen Verhandlungen und deren wichtigste Ergebnisse rekapituliert, wobei auf die Feststellung nachhaltiger Wert gelegt wird, daß die Gründung beider Institute den Normen und Vorschriften unterliegt, die für die Kirchen, Niederlassungen und Kongregationen für Weltpriester des Oratoriums des hl. Philipp Neri und der Frommen Arbeiter („Piorum Operariorum") im Königreich Neapel gelten und daß sie in allem der Jurisdiktion des Erzbischofs von Neapel unterworfen bleiben muß. Im Hinblick auf die zeitlichen Güter, die bereits erworben worden sind oder zukünftig erworben werden, verbleibt König Karl der Schutz des besagten Kollegs. Des weiteren wird die Sicherstellung der Finanzierung der Anstalt wie auch die des Unterhalts der aus China und Indien kommenden Alumnen im einzelnen geregelt. Ferner unterstreicht das Dokument die Kompetenz des Oberen der Priesterkongregation der „Sacra Familia Jesu Christi", dem es mit seinem Rat zukommt, darüber zu befinden, wer nach gewissenhafter Prüfung ins Kolleg aufgenommen werden kann oder wer abzuweisen ist. Der zweite Paragraph enthält die für die Gründung relevanten Bestimmungen.[27] In den beiden letzten Paragraphen werden im typischen pleonastischen, formelhaften Kurialstil die oberste Rechtsgewalt des Hl. Stuhls und seine umfassende Zuständigkeit bekräftigt sowie rechtlich unbefugte Handlungen nicht nur für null und nichtig erklärt, sondern auch entsprechende Strafmaßnahmen angedroht.

Nach einer Probezeit von vier Jahren und einer sorgfältigen Prüfung der von Ripa entworfenen Regeln und Konstitutionen der Kongregation der Hl.

---

[26] Das Breve „Nuper pro parte" findet sich unter anderem abgedruckt in: *Iuris Pontificii de Propaganda Fide Pars prima*, Bd. 2, 431f.

[27] Sein authentischer Wortlaut: „Cum autem, sicut eadem expositio subiungebat, memoratus Carolus rex praemissa apostolicae confirmationis nostrae patrocinio communiri plurimum desideret: nos, piis ipsius Caroli regis votis hac in re, quantum cum Domino possumus, benigne annuere cupientes, dictumque Alvarum Cardinalem et praesulem specialibus favoribus et gratiis prosequi volentes, supplicationibus eiusdem Caroli regis nomine nobis super hoc humiliter porrectis inclinati, fundationem praefatae Congregationis presbyterorum saecularium, seu collegii Sacrae Familiae Iesu Christi, sicut praemittitur, factam, dommodo idem collegium remaneat subiectum Ordinario, in omnibus et per omnia, quemadmodum in toto regno Neapolis sunt Ordinario subiectae domus et ecclesiae atque personae Congregationum Oratorii S. Philippi Nerii ac Piorum Operariorum, et sub protectione regia solum quoad: bona temporalia acquisita et acquirenda, auctoritate apostolica, tenore praesentium, approbamus et confirmamus, illisque inviolabilis apostolicae firmitatis robur adiicimus, ac omnes et singulos tam iuris quam facti defectus, si qui desuper quomodolibet intervenerint, supplemus" (ebd., 432).

Familie Jesu Christi seitens der *Propaganda Fide* approbierte Klemens XII. diese durch das Breve „Iniuncti nobis“ vom 16. April 1736.[28] Diese religiöse Gemeinschaft hatte sich erklärtermaßen die Erziehung und Unterweisung der chinesischen und indischen Alumnen im katholischen Glauben zur Hauptaufgabe gemacht, die nach absolviertem Studium und empfangener Priesterweihe in ihren Heimatländern für die Verkündigung des Evangeliums eingesetzt werden sollten. Zugleich vermerkt das päpstliche Schreiben unter Verweis auf das Breve „Nuper pro parte“ erneut, daß die Aufnahme in das Kolleg selbst solchen Kandidaten offensteht, die aus europäischen Ländern kommen, ihren Unterhalt selbst bestreiten und sich für den Missionseinsatz ausbilden lassen, um nach der Ordination sich der Evangelisierung in nichtchristlichen Gebieten zu widmen.[29]

Die Mitglieder dieser Weltpriestergemeinschaft, die auf den Titel ihres Erbes und nicht auf den der Mission geweiht wurden, waren nicht durch Ordensgelübde gebunden und vermochten deshalb bei triftigen Gründen das Institut leichter zu verlassen. Tatsächlich sind von den 191 Mitgliedern, die sich im Lauf der Zeit der Kongregation angeschlossen hatten, lediglich 93 bis zu ihrem Tod geblieben.[30] Auch Laienbrüder konnten sich dem Institut anschließen. Die

---

[28] Das Breve „Iniuncti nobis“ in: ebd., 477-479; die „Regole e Costituzioni della Congregazione e Collegio della Sacra Famiglia di Gesù Cristo“, in: ebd., 116. Ein Auszug daraus in deutscher Übersetzung: „Diese Gründung, die unter dem liebenswürdigsten (*dolcissimo*) Namen der Heiligen Familie des Erlösers tätig ist, besteht aus einem Kolleg und einer Kongregation. Das Kolleg ist bestimmt für Alumnen aus China, Indien und anderen Ländern. Es sind Jugendliche, die den Priesterstand anstreben und Diener des Evangeliums in ausländischen Missionen werden wollen und die in diesem unserem europäischen Haus wie auch in den Ländern der Ungläubigen auf Kosten des Kollegs ausgebildet und versorgt werden. Die Kongregation ihrerseits besteht aus Klerikern und Laienbrüdern. Die Kleriker tragen Sorge für die genannten ausländischen Jugendlichen; sie bemühen sich, diese sowohl in den Sitten wie auch in den Wissenschaften auszubilden, so wie es die große Aufgabe, auf die sie sich vorbereiten, erfordert. Sie (die Kleriker) – hier oder in den fernen Missionsgebieten – verwenden die Zeit, die ihnen neben der Sorge für die Jugend übrigbleibt, im Dienst der Ortskirche und für andere seelsorgliche Aufgaben zum Wohl des Nächsten, ob gläubig oder ungläubig, zur Ehre des Großen Gottes und unter der Leitung, Direktion und Weisung des Oberen zusammen mit der ganzen Gemeinschaft. Für ihren Unterhalt müssen sie selbst aufkommen nach dem Vorbild der Oratorianer des hl. Philipp Neri und der Patres Pii Operarii.“

[29] In späteren Jahren bildete diese Abteilung auch Nicht-Seminaristen aus: J. Emanuel, „Matteo Ripa“, 139.

[30] Ebd., 138. Detaillierte Verzeichnisse mit personenbezogenen einschlägigen Daten der Mitglieder der Kongregation der Hl. Familie Jesu Christi, der chinesischen Alumnen, die im Kolleg ihr Studium absolviert und in ihrer Heimat als Missionare tätig gewesen sind, sowie solcher Alumnen, die aus anderen Ländern, insbesondere aus der Türkei, stammten und dort ebenfalls eine Ausbildung erhalten haben, in: G. Nardi, *Cinesi a*

Regeln, die in gleicher Weise für die Kollegialen und die Mitglieder der Priesterkongregation verpflichtend waren, enthalten strenge aszetische Vorschriften, unterstreichen die Teilnahme an geistlichen Übungen sowie die Beachtung der Normen eines Lebens in der Klausur.

Die chinesischen Studenten mußten nach einem Jahr Probezeit fünf Gelübde ablegen: Armut, Gehorsam, die Absicht, Priester zu werden, sowie die Bereitschaft, sich der Mission zur Verfügung zu stellen und dort zu bleiben, sowie das Versprechen, in kein anderes religiöses Institut einzutreten.[31]

In der Zwischenzeit hatte Ripa, der bereits am 5. April 1731 von der päpstlichen Approbation seines Vorhabens in Kenntnis gesetzt worden war, von den Benediktinern des Monte Oliveto auf dem stadtnahen Hügel Capodimonte in der Nähe des Ponte della Sanità einen größeren Gebäudekomplex, eine Kirche sowie ein geräumiges Areal[32] mit ansehnlichem Eigenkapital erworben.[33] Am selben Tag der Publikation des Breve „Nuper pro parte" ersuchte Ripa den kaiserlichen Botschafter beim Hl. Stuhl, Kardinal Alvarez Cienfuegos, er möge vom Vizekönig in Neapel das königliche „Exequatur" erbitten, das am 19. Juli 1732 erteilt wurde.[34]

Napoli, 564f.; 574-581; 584-587. Ripa wollte auch Studenten aus Indien aufnehmen; ein Wunsch, dem die beiden Breven entsprachen. Tatsächlich ist jedoch niemand aus diesem Land nach Neapel geschickt worden. Von Beginn bis zur Schließung des Kollegs im Jahr 1887 weilten in ihm 106 Chinesen und 67 Studenten aus dem Nahen Osten, von denen 82 bzw. 26 die Priesterweihe empfingen.

31 J. Emanuel, *op. cit.*, 139.

32 Eine beeindruckende und informative Schilderung des Kollegs für Chinesen in Neapel aus dem Jahr 1840, in: N. Cameron, *Barbarians and Mandarins*, 263f. Angesichts der enormen Schwierigkeiten, dieses Vorhaben zu realisieren, hatte Herzog Richelieu, Frankreichs Botschafter am Hof zu Wien, der davon sehr angetan war, Ripa einen seiner Paläste in Paris und eine Jahresrente von 1.000 Scudi angeboten, was dieser jedoch ablehnte (G. Nardi, *Cinesi a Napoli*, 316f.).

33 Die Kosten für den Erwerb beliefen sich auf 6.300 Dukaten. Benedikt XIII. hatte für den Kauf 5.000 Dukaten beigesteuert, für den Rest kam Ripa auf, der sein gesamtes Vermögen dem Institut testamentarisch vermachte. In der Folgezeit gewährte der Staat Zuschüsse (Riordinamento del Collegio Asiatico di Napoli, 7; 9f.), außerdem unterstützten Stiftungen, private Verfügungen und kirchliche Einnahmequellen das Werk, die schließlich die finanzielle Ausstattung der juristischen Körperschaft bildeten.

34 Der Text bei: G. Nardi, *Cinesi a Napoli*, 559.

2.
Das Kolleg bis zu seiner Umbenennung im Jahr 1868

Aufbau und Entwicklung des Kollegs befanden sich in einem inhärenten Konnex mit den politischen Geschehnissen auf dem europäischen Kontinent, die sich ebenfalls auf Italien auswirkten, ferner wurde sein Schicksal besonders durch die Auswirkungen der Ideen der Aufklärung und des Liberalismus sowie durch die kirchlichen und sozio-ökonomischen Verhältnisse maßgeblich bestimmt.

Wegen eklatanter Inkonsequenzen und gravierender Mißverständnisse war Österreich im Polnischen Thronfolgekrieg weitgehend isoliert. Karls VI. Territorialpolitik, die Unteilbarkeit der Union der habsburgischen Länder zu sichern, mißlang. Im gegnerischen Lager betrieb insbesondere die energische Elisabeth Farnese, zweite Gattin Philipps V., erfolgreich die Eroberung Unteritaliens. Sie war darauf bedacht, ihren in Spanien nicht erbberechtigten Söhnen Karl und Philipp eine angemessene Versorgung in Italien zu verschaffen und dabei möglichst auch ihre Heimat Parma, wo der männliche Stamm ihrer Familie vor dem Aussterben stand, als Besitz zu erhalten. Zwar brachte der Wiener Präliminarfriede vom 3. Oktober 1735 nicht das Ende der österreichischen Italien-Herrschaft, wohl aber deren Eingrenzung im Sinn des Gleichgewichts, das ein gutes Jahrzehnt später definitiv wurde. Kaiser Karl VI. sah sich gezwungen, das Königreich Neapel-Sizilien als unabhängige Sekundogenitur an die spanischen Bourbonen abzutreten. Karl von Bourbon, der älteste Sohn der Elisabeth Farnese, avancierte zum König.[35]

Der unerwartete Tod Karls VI. (1740) stellte die geopolitische Neuordnung noch einmal in Frage. Das wichtigste Ergebnis der anschließenden kriegerischen Auseinandersetzungen war die Arrondierung und Konsolidierung von Savoyen-Piemont, das sich unter Ausnutzen des habsburgisch-bourbonischen Gegensatzes ins eigentliche Italien ausgedehnt hatte, sowie das Entstehen des bourbonischen Königreichs Neapel-Sizilien, das seit mehr als zweihundert Jahren der erste eigenständige Staat in Süditalien wurde. Neapel entwickelte sich zu einem Zentrum der europäischen Aufklärung. Marchese Bernardo Tanucci (1698–1783), von König Karl IV. (1716–1788), dem späteren Karl III. von Spanien (seit 1759), 1735 zum Staatsrat ernannt, fungierte seit 1752 als Justizminister und ab 1754 als Außenminister. Von 1759–1776 war er unter dem unmündigen Ferdinand IV. (1751–1825) das führende Mitglied der Regentschaft. Als dezidierter Repräsentant der Aufklärung reformierte Tanucci Rechtsprechung und Verwaltung. Er bekämpfte feudale Privilegien und anachronistische Strukturen, die die längst überfällige Modernisierung verhinderten, und setzte einschneidende antiklerikale Reformen durch. Mit rück-

---

[35] R. Lill, *Geschichte Italiens in der Neuzeit*, 34-37.

sichtsloser Härte und respektablem Erfolg vertrat er staatliche Interessen gegenüber kirchlichen Einrichtungen und päpstlichen Ansprüchen, wodurch sich die unversöhnlichen Gegensätze zwischen Kirche und Staat, zwischen den royalen und klerikalen Konservativen und den radikalen Demokraten zusätzlich erheblich verschärften.[36] Nach dem Ausbruch der Französischen Revolution wurden zahlreiche Maßnahmen rückgängig gemacht. Republikanische Aufstände in Neapel und Sizilien scheiterten, bis Anfang 1799 Neapel für etwa ein halbes Jahr zur von französischen Revolutionstruppen proklamierten „Parthenopäischen Republik" ausgerufen wurde, die indessen wenige Monate später unter dem Gegenangriff eines königstreuen Volksheeres zusammenbrach. Auf dem Wiener Kongreß wurde 1815 Neapel wieder dem nach Sizilien geflüchteten König Ferdinand IV. zugesprochen, der am 8. Dezember 1816 seine Staaten diesseits und jenseits der Meerenge zum „Königreich beider Sizilien" vereinte und es von nun an als König Ferdinand I. regierte.

Erst im Gefolge der kläglich gescheiterten Revolution von 1848/1849, die einen kräftigen Impuls in Richtung auf die nationalen Einigungsbestrebungen in Italien freigesetzt und bei denen der am 10. August 1810 in Turin geborene Großgrundbesitzer, Geschäftsmann und liberale Realpolitiker Camillo Graf Benso di Cavour, der die Modernisierung Piemonts und seine Angleichung ans liberale Westeuropa in Gang setzte, eine ausschlaggebende Rolle gespielt hatte,[37] erkannten prominente Patrioten, daß Italien nicht länger nur ein „nom géographique", wie es Fürst Metternich gelegentlich bezeichnet hat, bleiben dürfe. Das traf speziell auf den Süden zu - den päpstlichen Kirchenstaat und das Königreich Neapel -, der viel weiter hinter der Entwicklung der europäischen Zivilisation zurückgeblieben war als etwa Piemont und das unter direkter oder indirekter Habsburger Herrschaft stehende übrige Ober- und Mittelitalien.

Politische Freiheit, Unabhängigkeit und nationale Einheit waren, wenn überhaupt, nur durch die Vernetzung tiefgreifender wie umfassender innerer

---

36 Tanuccis Hauptanliegen war die volle Durchsetzung der staatlichen Souveränität gegenüber der Kirche. Gemeinsam mit den anderen bourbonischen Höfen hat er vor allem die Jesuiten bekämpft, die 1767 aus Neapel wie auch aus Spanien ausgewiesen wurden. Der von ihm mitgestalteten Politik war die Aufhebung des Ordens 1773 zuzuschreiben. Diese nach seinem Sturz 1776 fortgesetzte Politik fand den beredtesten Ausdruck in der 1788 erfolgten Abschaffung der feudalen Unterordnung des Königreichs unter den Hl. Stuhl. Tanucci hatte auch Rechtsvereinheitlichungen durchgesetzt, seine sozial- und wirtschaftspolitischen Reformansätze scheiterten allerdings am Widerstand der Barone (ebd., 51f.).

37 Zur Rolle, die Camillo Cavour (1810–1861) bei der Entstehung des italienischen Nationalstaats gespielt hat: L. Cafagna, *Cavour*; Peter Stadler, *Cavour. Italiens liberaler Reichsgründer*; ein konziser informativer Überblick: F. Hausmann, „Der Regisseur Italiens".

Reformen mit intelligenter Außenpolitik zu erhoffen. Noch während des Krieges in Oberitalien, zu dem sich Österreich im Sommer 1859 hatte provozieren lassen, stürzten die Patrioten der „Società Nazionale" die Regierungen der mittelitalienischen Staaten und verhinderten nach dem überraschenden Vorfrieden von Villafranca vom 12. Juli 1859 die dort vereinbarte Restauration. Die provisorischen Parlamente der Toskana, von Modena, Parma und der Emilia-Romagna sprachen sich für den Anschluß an das Königreich Sardinien aus; die geplante territoriale Erweiterung sollte jedoch bis an die Grenzen des Kirchenstaats reichen. Um Aufständischen in Sizilien zu Hilfe zu kommen, brach der Volksheld Giuseppe Garibaldi (1807–1882) mit seinem „Zug der Tausend" in den Süden auf und beseitigte gleichsam im Handstreich das abgewirtschaftete Bourbonen-Regime. Nach nur sechs Monaten zog er am 7. September 1860 als Diktator in Neapel ein. Die überwiegende Mehrheit der Bevölkerung von Neapel und Sizilien sprach sich in einem Plebiszit am 21. Oktober für eine Vereinigung mit dem Königreich Italien (Sardinien-Piemont) aus. Am 14. März 1861 erklärte das neu gewählte gesamtitalienische Parlament in Turin Vittorio Emmanuele II. (1820–1878) per Gesetz zum „König von Italien".[38] Allerdings war die italienische Frage noch nicht wirklich gelöst, solange Venedig sich unter österreichischer Herrschaft befand und der inzwischen auf die Stadt Rom und Latium geschrumpfte Kirchenstaat wie ein Stachel im Fleisch des neuen Italien steckte.[39] Die Lösung der „Römischen Frage" aus italienischer Sicht blieb dem folgenden Jahrzehnt vorbehalten.

Dieser historische Überblick bildet den Rahmen, innerhalb dessen der Fortgang des Kollegs für Chinesen und der Priesterkongregation in Neapel einzuordnen und zu bewerten ist.

Wie früher bemerkt, hatte Kaiser Karl VI. bei den Verhandlungen über die beabsichtigte Gründung des Kollegs gegenüber Ripa ausdrücklich betont, daß zu seinen Zielen auch die Ausbildung von Dolmetschern, speziell im Chinesischen und Indischen, gehöre; nach dem Sprachstudium sollten sie sich in die Dienste der Handelskompanie von Ostende begeben. Diese war hauptsächlich zu dem Zweck geschaffen worden, Handelsbeziehungen zwischen den Ländern Ostasiens und dem Habsburger Reich herzustellen, in dessen Einflußbereich das Königtum Neapel mit seinem Überseehafen lag. Die primäre Aufgabe des Kollegs war und blieb jedoch während seines Bestehens die Heranbildung von Missionaren aus europäischen und außereuropäischen Ländern, die nach der Priesterweihe in ihrer Heimat eingesetzt wurden. Noch

---

38 Vom Krieg gegen Österreich (1859) bis zur Konstituierung des Königreichs Italien: R. Lill, *Geschichte Italiens in der Neuzeit*, 168-180.

39 Zum Abschluß der nationalen Einigung durch den Erwerb Venetiens (1866) und die Annexion Roms (1870): ebd., 187-195; St. Trinchese, „Die ‚Römische Frage' – ein Überblick".

zu Lebzeiten von Matteo Ripa - er starb am 29. März 1746 - hatte man dem Kolleg ein schulgeldpflichtiges Konvikt angegliedert, das sich der Erziehung vor allem junger Neapolitaner widmete. Diese Anstalt besuchten im 18. Jahrhundert unter anderem Alfons Maria von Liguori (1696–1787), der Gründer der Redemptoristenkongregation, der selige Gennaro Sarnelli (1702–1752) sowie andere bekannte Persönlichkeiten des neapolitanischen Klerus.[40]

Benedikt XIV. erließ am 6. Oktober 1747 die Bulle „Misericordia Dei",[41] die das in Neapel errichtete Kolleg der Hl. Familie Jesu Christi zum Gegenstand hatte. Sie befreite das Kolleg von den mit der Benediktinerabtei des hl. Petrus von Eboli in der Diözese Salerno gekoppelten obligatorischen Regelzahlungen (Pensionen) und finanziellen Abgaben, die an die Apostolische Kammer zu entrichten waren. Die Abtei, in der keine Mönche mehr lebten, wurde der von Ripa gegründeten Anstalt inkorporiert. Sämtliche Sachgüter, Einkünfte, Erträge und Rechtstitel des Klosters gingen an das Kolleg über. Sie sollten ihm für die Zeit seines Bestehens zum Wohl und Nutzen der Glaubensverbreitung zugute kommen. Das Kolleg selbst wurde von allen finanziellen und sonstigen Leistungen gegenüber dem Hl. Stuhl ausgenommen. Darüber hinaus wurde in Aussicht gestellt, daß bei einer effektiven Entwicklung des Kollegs und einer zahlenmäßigen Zunahme von Alumnen eine Jahrespension von 500 neapolitanischen Dukaten für jeweils eine vom Hl. Stuhl zu ernennende Person beziehungsweise mehrere Personen gezahlt werden sollte. Beim gänzlichen oder teilweise Erlöschen der Person beziehungsweise Personen sollte sie einer anderen kirchlichen Person beziehungsweise Personen zuerkannt werden. Das päpstliche Dokument legte im einzelnen Folgendes verbindlich fest:

1. Das besagte Kolleg muß von jetzt an und in Zukunft, auch wenn die oben genannte Vereinigung ihre Wirkung noch gar nicht erreicht hat, auf Anweisung der *Propaganda*-Kongregation vier Alumnen aus der Walachei, Bulgarien, Serbien und dem Epirus aufnehmen und zulassen, die zum besagten Kolleg auf eigene Kosten anreisen sollen.
2. In das genannte Kolleg sollen andere Alumnen aus China und Indien eingeladen werden, bevor die oben genannte Vereinigung ihre Wirkung erreicht; das Kolleg muß die für die Anreise notwendigen Auslagen übernehmen.
3. Sobald die oben genannte Vereinigung in Kraft getreten ist, muß das Kolleg die Zahl der Alumnen aus den vorgenannten vier Regionen oder aus anderen ähnlichen Untertanen der türkischen Herrschaft bis auf acht erhöhen, mit Einschluß der vier oben genannten, die auf Vorschlag der Kongregation für die Glaubensverbreitung von jetzt an aufzunehmen sind.

---

40 G. Nardi, *Cinesi a Napoli*, 326.

41 Der Text in: *Iuris Pontificii de Propaganda Fide Pars prima*, Bd. 3, 364-366.

4. Die Alumnen aus China und Indien sollen bei acht belassen werden, so daß die Gesamtzahl der Alumnen sowohl aus China und Indien wie auch aus den genannten anderen, unter türkischer Herrschaft stehenden Regionen sich auf sechzehn beläuft, die alle auf Kosten des besagten Kollegs unterhalten werden unter der Oberaufsicht, Führung und Leitung der oben genannten Kongregation der Hl. Familie Jesu Christi. Sollte sich aber zu irgendeiner Zeit aus welchem Grund auch immer ergeben, daß die vorgenannte Zahl der Alumnen aus China und Indien ganz oder zum Teil nicht gehalten werden kann bzw. sich nicht erreichen läßt, dann und in diesem Fall müssen, wenn diese Alumnen ganz oder teilweise ausfallen, ebenso viele Alumnen aus angrenzenden Provinzen, Reichen und Gebieten, wie oben erwähnt, komplettiert werden, wenn eine angemessene Zeit vergangen ist und durch die Kongregation für die Glaubensverbreitung selbst ihren Sachwaltern bzw. anderen Mitarbeitern in jenen Ländern Aufträge gegeben worden sind, um Bemühung, Unterstützung und wohlwollende Hilfe zu leisten zur Gewinnung solcher Alumnen - Anordnungen sollen sie allerdings geben auf das Ersuchen der Oberen der oben genannten Kongregation der Hl. Familie Jesu Christi.
5. Endlich müssen die notwendigen Ausgaben für die Anreise und Rückkehr der oben genannten und aufzunehmenden acht Alumnen aus China und Indien oder anderen Nationen Ostasiens, wie gesagt, von dem vorgenannten Kolleg geleistet werden; ebenso müssen durch das besagte Kolleg die Ausgaben geleistet werden für die Rückkehr der anderen acht Alumnen aus den genannten vier Regionen oder aus anderen unter türkischer Herrschaft befindlichen; diese sind jedoch gehalten, auf eigene Kosten anzureisen.[42]

Durch die Bulle „Prae ceteris" Pius' VI. (1775–1799) vom 23. Juli 1775 sind die dem Kolleg von Benedikt XIV. und Klemens XII. großzügig geschenkten Güter, verliehenen Privilegien und ihm zugute kommenden Einkünfte bekräftigt und beträchtlich erweitert worden. Wie aus ihrem Schlußabschnitt hervorgeht, waren aufgrund päpstlicher Schenkungen 32 Alumnen in das Kolleg aufzunehmen, die, von Priestern der Kongregation der Hl. Familie Jesu Christi geistlich betreut, in ihm zu unterhalten und auszubilden waren.[43] Ferner mußte es auch für die Reisekosten der betreffenden Kandidaten aus

---

[42] Ebd., 365f. Das für die Bulle „Misericordia Dei" erbetene königliche Exequatur datiert: Neapel, am 25. März 1756.

[43] Die Zahl der Stipendiaten ist im Lauf der Jahre kontinuierlich angehoben worden. Hatten Benedikt XIV. und Klemens XII. eine Soll-Zahl von insgesamt 16 Studenten (8 Chinesen und 8 aus dem Vorderen Orient) festgesetzt, so hob Klemens XIII. (1758–1769) sie in der Bulle „Quanta Ecclesiae" vom 24. April 1760 zunächst auf 20 an, in der Bulle „Docendi omnes" vom 13. August 1764 erweiterte er sie dann auf 28. Trotz dieser päpstlichen Vorgaben erreichte das Kolleg nie mehr als fünfzehn Studenten (J. Emanuel, „Matteo Ripa", 139 Anm. 27).

ihren jeweiligen Heimatländern beziehungsweise für die Rückkehr in ihre Heimat aufkommen. Darüber hinaus ordnete die Bulle an,

> daß aus den Einkünften des Kollegs selbst nach Eintritt der Wirkung dieser neuen Vereinigung [gemeint ist der Pfründegenuß von der Abtei Sancta Maria Mater Domini] drei Missionare unterhalten werden, die der Anweisung gemäß, die ihnen von der Propaganda-Kongregation zu erteilen ist, die ihnen übertragene apostolische Aufgabe in China ausführen können und dazu verpflichtet sind.[44]

Außer den chinesischen Alumnen wurden im Lauf der Jahre auf ausdrückliche päpstliche Weisungen hin junge Männer aus dem osmanischen Reich in das Kolleg aufgenommen - Ägypter, Albaner, Bulgaren, Bosnier, Griechen, Libanesen, Montenegriner und Serben - mit dem Ziel, in der christlichen Religion unterwiesen zu werden und Theologie zu studieren, um nach der Priesterweihe in ihren Herkunftsländern eine missionarische Aktivität auszuüben. Erziehung und Ausbildung sowohl der Kollegialen als auch der Konviktualen oblagen von 1736 bis 1888 der Kongregation der Hl. Familie Jesu Christi.

Im Februar 1861 trat in Turin das erste aus nahezu ganz Italien entsandte Parlament zusammen, das am 14. März Vittorio Emmanuele II. von Piemont zum „König von Italien" proklamierte. Nach der Konstituierung des Königreichs, gegen die Österreich ebenso wie Pius IX. (1846-1878) und die vertriebenen Monarchen scharfen Protest eingelegt hatten, begann die Regierung, längst überfällige umfangreiche und grundlegende Reformen auf politischem, wirtschaftlichem, kirchlichem, sozialem, rechtlichem, schulischem und administrativem Gebiet in Angriff zu nehmen. Viele dieser Maßnahmen und gesetzlichen Konsequenzen, diktiert von der Absicht, den Einfluß der Kirche auf die Gesellschaft zu minimieren, verschärften die ohnehin konfliktträchtige Beziehung zwischen Papsttum und italienischem Staat. Zur Abwehr der bürgerlich-liberalen Vorherrschaft und antiklerikaler Agitationen sowie antipapalistischer Bewegungen, insbesondere des Gallikanismus und Episkopalismus, bediente sich der Vatikan dabei gern des probaten Vorwands, daß diese Modernisierungen Konsequenzen der Aufklärung und des Liberalismus seien, sich deshalb mit der christlichen Werteordnung nicht vereinbaren ließen.

Eine dieser Reformmaßnahmen betraf den kirchlichen Bereich. So erließ die Regierung in den Jahren 1861 und 1866 Gesetze zur Enteignung kirchlicher Einrichtungen und der Auflösung von Ordensniederlassungen. Die Ordensleute wurden aus ihnen vertrieben, in den Klöstern öffentliche Büros und Schulen etabliert. Auch das Erziehungs- und Bildungssystem erfuhr eine fundamentale Veränderung, die im offenen Widerspruch zur „Lex Casa-

---

[44] Der Schlußteil der Bulle findet sich abgedruckt in: *Al Senato italiano. Il Collegio dei Cinesi di Napoli*, Roma 1888, 26f.

ti" vom 13. November 1859 stand, die das Schulwesen auf der Halbinsel koordiniert sowie die katholische Religion zum „Fundament des Schulwesens und der religiösen Erziehung" erklärt hatte.[45] Durch das Dekret des Statthalters vom 17. Februar 1861, demzufolge die Orden und regularen Kongregationen in den neapolitanischen Provinzen aufzulösen waren, sollten ebenfalls das Kolleg der Chinesen in Neapel sowie die für es zuständige Priesterkongregation aufgelöst und das Eigentum konfisziert werden. Ihrer Leitung gelang jedoch überzeugend nachzuweisen, daß das Institut - gleich einigen anderen Ordensgemeinschaften - aufgrund anerkannter Dienstleistungen für die Bevölkerung auf erzieherischem und schulischem Gebiet, in der Krankenpflege wie auch durch andere Aktivitäten zum Wohl der Öffentlichkeit den „gemeinnützigen Einrichtungen" zugerechnet werden müsse. Eine von der Regierung eingesetzte Sonderkommission bekundete die Richtigkeit dieser Bewertung, die durch das Dekret „Esenzione del Collegio dei Cinesi dalla soppressione" vom 13. Oktober desselben Jahres bestätigt wurde.[46] Trotz dieser unstrittigen Verdienste für das Gemeinwohl konnte nicht verhindert werden, daß das Kolleg mit Dekret vom 12. September 1869 zur juristischen Person des öffentlichen Schulwesens erklärt, in „Königliches Asiatisches Kolleg von Neapel" (*Real Collegio Asiatico de Napoli*) umbenannt und dem Unterrichtsministerium unterstellt wurde. Fortan bestand es aus zwei Abteilungen: der alten mit ihrer missionarischen Ausrichtung in Übereinstimmung mit den Verfügungen ihres Gründers Matteo Ripa und der neuen, offen für junge Laien aus nicht-asiatischen Ländern, die am Studium der gesprochenen Sprachen Asiens und Afrikas interessiert waren.[47]

Zuvor hatte eine andere von der Regierung eingesetzte Sonderkommission ausdrücklich festgestellt,

> daß das Kolleg der Chinesen zusammen mit der Kongregation der Weltpriester, denen die Leitung und Verwaltung der Güter, die sein Vermögen

---

45 Minister Graf Gabrio Casati gehörte dem Kabinett Alfonso La Marmora an. Das Gesetz vom 13. November 1859 stützte sich teilweise auf einen Gesetzentwurf von Luigi Cibrario, Minister für Öffentliches Schulwesen (=Unterrichtsminister bzw. Kultus-, Erziehungs- oder Bildungsminister) in der Regierung Cavour. Dieses Gesetz vereinheitlichte das Schulwesen auf der Halbinsel. Vor der gesetzgebenden Vereinigung war in der Toskana das Gesetzdekret vom 10. März 1860 hinsichtlich des Grundschulwesens gültig; in der sizilianischen Provinz das quasi-diktatorische Dekret vom 17. Oktober 1860 und in den neapolitanischen Provinzen das Gesetzdekret vom 7. Januar 1861. Daher wurde die „Lex Casati" vom Königreich Sardinien und der Lombardei auf alle anderen Provinzen des Königreichs Italien ausgedehnt, ganz oder in Teilen mit einigen Modifikationen.

46 G. Nardi, *Cinesi a Napoli*, 589.

47 Ebd., 590.

> bilden, obliegt, keinesfalls zu den kirchlichen Kongregationen gezählt werden darf, die man mit dem Dekret vom 7. Juli 1866 auflösen wollte. Das Lehrinstitut dieses Kollegs, in dem Jugendliche aus China und anderen Ländern des Orients ausgebildet werden, um dann in ihre Heimat zurückzukehren, sei es als apostolische Missionare oder gegebenenfalls als Dolmetscher und Vermittler abendländischer Kultur, die unsere Beziehungen zu Ostasien günstig beeinflussen können, verdient vielmehr, in jeder Hinsicht unter den Schutz der königlichen Regierung gestellt zu werden. Es soll nicht nur weiter bestehen bleiben, sondern vielmehr durch entsprechende Reformen verbessert und erweitert werden, insoweit es den Interessen des heimischen Handels und dem wissenschaftlichen Fortschritt hinsichtlich dieser fernen Länder dienlich ist.[48]

Unter Berufung auf dieses Dekret begannen die staatlichen Behörden gleichwohl mit der Inventarisierung des Vermögens.

---

[48] Zur Neuordnung des Asiatischen Kollegs von Neapel: Progetti di leggi, presentati dal Ministro dell'Istruzione Pubblica, Paolo Boselli, nella tornata del 28 novembre 1888, in: *Atti Parlamentari - Senato del Regno (N. 137)*, 2.

Exkurs
Die erste Gesandtschaft eines britischen Königs an den chinesischen Kaiserhof und das Kolleg der Chinesen von Neapel

1. Funktionale Bedeutung des chinesischen Tributsystems

Unter der Leitung von George Earl of Macartney (1737–1806) reiste 1793 eine mit auserlesenen Geschenken ausgestattete Gesandtschaft des britischen Königs Georg III. (1738–1820) an den Hof des Kaisers Qianlong (1711–1799) in Peking, die im Winter 1793/1794 sechs Wochen in China weilte.[1] Die Entsendung dieser königlichen Mission hatte sich zum erklärten Ziel gesetzt, die Handelsbeziehungen zum chinesischen Reich zu verbessern und ständige diplomatische Kontakte zur kaiserlichen Regierung in Peking aufzunehmen.[2] Die Gesamtzahl der von Macartney zusammengestellten Gruppe betrug 95 Personen, darunter zahlreiche Wissenschaftler und Experten, die ihren Qualifikationen und Fähigkeiten gemäß mit den unterschiedlichsten Aufgaben betraut waren. Die Unternehmung wird hier nur insofern behandelt, als sich unter diesem Personenkreis chinesische Absolventen des von Matteo Ripa gegründeten Kollegs für Chinesen in Neapel befanden.

Die britische Gesandtschaftsreise ins Reich der Mitte erfolgte in einer Periode, in der China und Großbritannien von expansiven Bestrebungen und imperialer Arroganz geprägt waren. Anfang der neunziger Jahre des 18. Jahrhunderts befand sich das chinesische Reich noch nicht in der Defensive gegenüber den ausländischen Mächten. Während der sechzigjährigen Herrschaft des Kaisers Qianlong (reg. 1736–1796) erreicht die selbstbewußte Qing-Dynastie den Zenit ihrer Macht; die Zentralregierung zeigte sich überall im Reich präsent.[3] Der unaufhaltsame dynastische Niedergang erfolgte erst im 19. Jahr-

---

[1] Zur Idee der Gesandtschaft, die von Henry Dundas, dem Architekten britischer Weltpolitik in der Regierung von William Pitt, dem Jüngeren, der 1783–1801 und 1804–1806 Premierminister war, stammte: J. Osterhammel, *China und die Weltgesellschaft*, 122f.

[2] Die folgenden Ausführungen stützen sich teilweise auf die Einleitung von S. Dabringhaus zum Reisebericht von J.Chr. Hüttner, *Nachricht von der britischen Gesandtschaftsreise nach China 1792–1794*, 7-92.

[3] China befand sich, zumindest oberflächlich betrachtet, auf dem Höhepunkt imperialer Machtentfaltung, als unter der Herrschaftsdevise Hongli Kaiser Qianlong seit 1736 das chinesische Reich regierte. Im fünfundachtzigsten Lebensjahr übergab er 1796 den Thron seinem fünften Sohn Renzong, dem Jiaqing-Kaiser, ohne allerdings bis zu seinem Tod die Staatsgeschäfte aus seinen Händen und denen seiner Günstlinge zu lassen.

hundert, der großenteils auch mit dem wachsenden Mißtrauen der herrschenden Kreise in Peking gegen die Außenwelt sowie ihrem Bedürfnis nach Isolation unter dem Kaiser Jiaqing und dessen Sohn und Nachfolger, dem Kaiser Daoguang, der von 1821–1850 regierte, maßgeblich zusammenhing.

Ein traditionelles, systemstabilisierendes Element der Qing-Herrschaft, das die Kaiser des 18. Jahrhunderts flexibel zu nutzen verstanden, war der Tribut als Instrument kaiserlicher Außenpolitik, der insbesondere von solchen Völkern gefordert wurde, die der kaiserlichen Administration nicht direkt unterstanden und die man deshalb als „Barbaren" bezeichnete. Durch die Tributleistungen an den Kaiserhof, bei denen der korrekte rituelle Vollzug der Geschenke an den Kaiser ebenso relevant war wie die Geschenkübergabe an ihn selbst, sah man die Anerkennung und Verbindlichkeit der chinesischen Zivilisation und Weltordnung garantiert.[4] In der Regel durften lediglich solche Völker in China Handel treiben, die dem Kaiserhof Tribut entrichtet hatten, wobei kaiserliche Beamte den exakt reglementierten Umfang des Tributhandels kontrollierten.

Im Unterschied zum traditionellen Tributsystem spiegelte das sogenannte „Kanton-System" an der maritimen Landesgrenze die eher moderne Seite der Qing-Dynastie wider. Die Entwicklung dieses Systems vollzog sich in der ersten Hälfte des 18. Jahrhunderts. Die südchinesische Hafenstadt Kanton avancierte zum Zentrum eines von der lokalen Bürokratie überwachten privaten Monopolhandels chinesischer „Firmen", der sogenannten Hong-Kaufleute, die die Zentralregierung gegen eine Lizenzgebühr mit dem maritimen Außenhandel betraut hatte.[5]

---

4 „Zum Verständnis des Tributsystems ist es notwendig, sich die Grundannahmen zu vergegenwärtigen, auf denen es beruhte. Diese beinhalten, (a) daß China ein universell gültiges Glaubenssystem besitzt, das ethisch richtig ist und dem alle Völker folgen sollten; (b) daß China eine besondere Rolle als Wahrer dieser Werte zukommt; und (c) daß, obwohl diese Werte anderen nicht aufgezwungen werden können, China mit ihnen im Einklang leben und anderen ein Beispiel sein sollte. In diesen Grundannahmen fühlte sich die chinesische Elite auch immer wieder dadurch bestätigt, daß Fremddynastien sich dem chinesischen System anpaßten und – aus chinesischer Sicht – sinisiert wurden." Daraus leitete China „die Bestätigung seiner kulturellen Überlegenheit" ab (St. Friedrich, „Außenpolitik", 105).

5 Trotz fehlender völkerrechtlicher Kodifizierung der gegenseitigen Beziehungen zwischen dem Reich der Mitte und den Staaten Westeuropas verlief der westeuropäische Chinahandel in vorgegebenen organisatorischen Strukturen. Die europäischen Regierungen förderten Aufbau und Aktivitäten privilegierter „Chartered Companies", während auf chinesischer Seite die Bürokratie, die sich niemals direkt kommerziell betätigte, den privaten Handel lediglich unter einem allgemeinen Interventionsvorbehalt agieren ließ. Ausländische Kaufleute unterlagen einem strengen Reglement. „Ältere Praktiken wurden 1760 durch kaiserlichen Entscheid zu einem Bündel von Arrangements systematisiert, das von Historikern als ‚Kanton-System' bezeichnet wird. Sein

2. Suche nach chinesischen Dolmetschern

Im Jahr 1637 nahmen die ersten britischen Handelsschiffe mit den Chinesen in Kanton Handel auf, der aber wegen der innenpolitischen Wirren des Dynastiewechsels für einige Jahrzehnte eingestellt wurde. Angesichts sich häufender Konflikte mit den britischen Handelspartnern im Verlauf der vierziger Jahre des 18. Jahrhunderts hatte Peking den maritimen Außenhandel schließlich auf Kanton als einzige Hafenstadt beschränkt. Die vielfältigen Schwierigkeiten des Zugangs zum chinesischen Absatzmarkt, die Willkür der Lokalbeamten in Kanton, die desolate Zahlungsmoral und chronische Verschuldung ihrer offiziellen chinesischen Geschäftspartner, der Hong-Kaufleute, empfanden die Repräsentanten des „Country-Trade" - die Eroberung Indiens hatte diesem regionalen Zwischenhandel unter europäischen Flaggen zu noch größerer Bedeutung und zusätzlichen Funktionen verholfen –, die den Handel zwischen Britisch-Indien und China besorgten, mit der Zeit als unerträglich. Sowohl diese privaten Kaufleute vor Ort als auch die heimischen Produzenten erhofften sich von einem unmittelbaren Zugang zum chinesischen Markt eine qualitative Verbesserung der Handelsbedingungen im Vergleich zu dem von der East India Company[6] und der Qing-Regierung monopolisierten Austausch. Deshalb plädierten einflußreiche Vertreter der britischen Regierung für einen direkten Dialog mit der Zentralregierung in Peking. Die logische Konsequenz derartiger Überlegungen war das Entsenden einer königlichen Gesandtschaft an den chinesischen Kaiserhof. Ihre wahren Absichten und Motive wollte man jedoch zunächst vor ihm geheim halten, um jegliches Mißtrauen zu vermeiden.[7] Offiziell sollte sie als Gratulationsmission an Qianlong gelten.

Dieser Auftrag wurde 1791 dem brillanten Diplomaten Lord Macartney[8] erteilt. Als äußerst schwierig erwies sich das Finden von Personen, die des

---

Kern war die Gegenüberstellung zweier Monopolorganisationen: des Monopols der sogenannten ‚Hong-Kaufleute' und desjenigen der westlichen Ostindiengesellschaften, unter welchen die britische East India Company (EIC) zunehmend dominierte. Dieses Doppelmonopol bestand bis 1833, als die EIC ihre privilegierte Stellung im Chinahandel verlor. Es wurde nach einer kurzen Übergangszeit durch das freihändlerische ‚Treaty-Port-System' ersetzt, das 1842 und in den Jahren danach aufgebaut wurde" (J. Osterhammel, *China und die Weltgesellschaft*, 110).

6 Die britische Expansion auf dem asiatischen Kontinent ist hauptsächlich durch die 1600 für den Überseehandel mit und in Asien geschaffene East India Company vorangetrieben worden: Ph. Lawson, *The East India Company*.

7 Dem Kaiserhof blieben die eigentlichen Absichten der britischen Gesandtschaft nicht verborgen (S. Dabringhaus, Einleitung zu J.Chr. Hüttner, *Nachricht von der britischen Gesandtschaftreise nach China 1792–1794*, 57).

8 Ein Biogramm Macartneys: ebd., 46-49; außerdem: P. Roebuck (ed.), *Macartney of Lisanoure (1737–1806)*.

Hochchinesischen - des sogenannten Mandarin - kundig waren. Am Ausgang des 18. Jahrhunderts fand sich nämlich in Großbritannien niemand, der diese Übersetzungstätigkeit hätte wahrnehmen können. Selbst im Mutterhaus der Lazaristen [Maison de Saint-Lazare] und der Auswärtigen Mission [Maison des Missions Étrangères] in Paris, die Missionare in China hatten, fand sich keiner, der als Dolmetscher hätte fungieren können. Zwar gab es in letzterer Niederlassung einen Priester, der vor über zwanzig Jahren China verlassen hatte, sich aber nur noch an wenige chinesische Worte zu erinnern vermochte und zudem unter keinen Umständen dorthin zurückkehren wollte.[9] Schließlich machte ein italienischer Sprachlehrer Sir George Staunton (1731–1801), Macartneys Sekretär und Stellvertreter auf der Gesandtschaftsreise, auf das von Matteo Ripa gegründete Kolleg der Chinesen in Neapel aufmerksam.[10] Im dortigen Kolleg, in dem etliche ihrer Landsleute bereits eine geraume Zeit gelebt hatten, traf Staunton mehrere junge Chinesen an. Sie wurden über die Geschichte, Kultur und Gewohnheiten ihres Landes unterrichtet - dabei legten ihre Lehrer gleichfalls besonderen Wert auf die Vertiefung der chinesischen Sprachkenntnisse -, studierten Theologie und bereiteten sich auf das Priestertum vor, um nach ihrer Weihe als Missionare nach China zurückzukehren. Manche von ihnen sprachen recht gut Italienisch und Latein. Ferner gab es einige wenige chinesische Priester, die ihr Studium abgeschlossen hatten und auf ihre Ausreise nach Macau warteten.

Obwohl die Verantwortlichen des Kollegs zunächst in großer Sorge waren, die in Frage kommenden Priester könnten ohne entsprechende Vorbereitung auf die geplante Reise und auf die mit der Übersetzungstätigkeit verbundenen Erlebnisse Schaden an ihrem geistlichen Amt erleiden, gelang es dann doch dank der Vermittlung des am Hof von Neapel akkreditierten britischen Gesandten, Sir William Hamilton, der sich um das Kolleg verdient gemacht hatte,

---

[9] N. Cameron, *Barbarians and Mandarins*, 288; Michele Fatica, „Gli alunni del Collegium Sinicum di Napoli“, 529, Anm. 9.

[10] S. Dabringhaus, Einleitung zu J.Chr. Hüttner, *Nachricht von der britischen Gesandtschaftsreise nach China 1792–1794*, 51. In der Literatur gibt es Darstellungen zu diesem Sachverhalt, die in einigen Details variieren. So habe sich Staunton zunächst in Rom beim Präfekten der *Propaganda*-Kongregation, Kardinal Leonardo Antonelli, nach geeigneten Personen erkundigt. Die chinesischen Gelehrten, die eine Zeitlang im Vatikan zugebracht hätten, seien in ihre Heimat zurückgekehrt. Aber die Romreise sei nicht vergeblich gewesen, denn Antonelli habe Staunton auf das von Matteo Ripa gegründete Kolleg der Chinesen in Neapel aufmerksam gemacht und ihm ein Schreiben für die dort Verantwortlichen gegeben, in dem er ihnen dessen Anliegen wärmstens empfohlen habe. Entsprechende Hinweise bei: M. Fatica, ebd., 528; G. Nardi, *Cinesi a Napoli*, 460, Anm. 73. Dank der subtilen, auf archivalischem Material basierenden Analysen von M. Fatica hat man davon auszugehen, daß Staunton zuerst in Neapel gewesen ist und sich erst anschließend nach Rom begeben hat.

und anderer mit den zuständigen Vorgesetzten befreundeter Persönlichkeiten, diese Befürchtungen zu überwinden. Zuletzt hatten pragmatische Erwägungen für Francesco Massei, Oberer der Kongregation der Hl. Familie Jesu Christi,[11] den Ausschlag gegeben, dem Ersuchen Stauntons stattzugeben, zwei chinesische Priester für dieses Vorhaben zur Verfügung zu stellen, die während der Schiffspassage unter anderem Macartney, Staunton und seinen Sohn George Thomas (1781–1859), der als Page des königlichen Gesandten mitreiste, über chinesische Sitten und im Chinesischen unterrichten sowie diverse Schriftstücke ins Chinesische übersetzen sollten. Massei war nämlich zugesichert worden, daß die Ausschiffung erst in Macau und nicht schon in Kanton erfolgen sollte; danach wären die Priester von ihren Verpflichtungen entbunden. Ferner erachtete er es für vorteilhaft, der Bitte zu entsprechen, da die Reise dem Kolleg keine Kosten verursachte und auf diese Weise ihre Mitglieder nach China gelangten, um dort als Missionare zu wirken.[12]

Am 20. März 1792 brach Staunton zusammen mit den beiden chinesischen Priestern, die zufriedenstellend aus dem Chinesischen ins Lateinische und Italienische übersetzen konnten,[13] aber auch sonst als in jeder Beziehung besonders geeignet angesehen wurden, von Neapel zunächst nach Rom auf. Bei den katholischen Geistlichen handelte es sich um Jakob Li (1760–1828), der mit dreizehn Jahren in das Kolleg eingetreten und im November 1784 zum Priester geweiht worden war,[14] und um Paul Ke (1758–1825), der sich im Alter von fünfzehn Jahren dem Kolleg angeschlossen und im März 1784 die Priesterweihe empfangen hatte.[15] Nach dem Urteil von Staunton waren es

> two Chinese of amiable manners, and of virtuous and candid disposition as well as perfectly qualified to interpret between their native language and Latin or Italian, which the Embassador [Macartney] understood.[16]

---

[11] Francesco Massei (* 13. November 1713 Montepulciano, + 2. November 1800) war von 1786 bis 1798 Oberer der Kongregation der Hl. Familie Jesu Christi.

[12] Massei im Schreiben vom 17. März 1792 an Antonelli, worin er die Hoffnung ausspricht, daß seine „risoluzione incontri l'approvazione di Vostra Eminenza" (M. Fatica, „Gli alunni del Collegium Sinicum di Napoli", 531).

[13] Johann Christian Hüttner (1766–1847) – er hatte ein Studium der Philologie an der Universität Leipzig absolviert, war bei Sir George Staunton in London als Privatlehrer seines Sohns George Thomas angestellt und der einzige Deutsche unter den Teilnehmern der Gesandtschaft –, der seine Aufzeichnungen über die Genese, den Verlauf und das Ergebnis der Reise noch von China aus an seine Freunde in Europa geschickt hatte, konnte dann aus dem Lateinischen ins Englische übersetzen.

[14] G. Nardi, *Cinesi a Napoli*, 460, Anm. 73.

[15] Ebd., 462, Anm. 74.

[16] Zitat in: M. Fatica, „Gli alunni del Collegium Sinicum di Napoli", 530, Anm. 9.

In Rom stattete Staunton Kardinal Leonardo Antonelli, dem Präfekten der *Propaganda*-Kongregation, einen Besuch ab und informierte ihn über die gesamte Angelegenheit. Antonelli, der Masseis Entscheidung akzeptierte, zumal sich, wie bereits erwähnt, eine günstige Gelegenheit bot, die beträchtlichen Reisekosten für die beiden Priester nicht aufbringen zu müssen, gab Staunton ein Empfehlungsschreiben für den seit 1782 in Peking residierenden Bischof, den Portugiesen Alexandre de Gouvea, worin er diesen bat, die Macartney-Mission im Rahmen seiner Möglichkeiten zu unterstützen.[17] Staunton verließ am 27. März 1792 Rom mit seinen beiden Begleitern. Die Reise ging über Ancona, Rimini, Ravenna, Venedig, Trient, Köln, Aachen, Brüssel nach Ostende, wo sie sich Ende Mai nach England einschifften.[18]

Im Brief vom 27. März 1792 hatte der Obere der Kongregation der Hl. Familie Jesu Christi Kardinal Antonelli mitgeteilt, daß tags zuvor zwei weitere chinesische Priester sich von Neapel nach Ostende begeben hätten, um sich auf einem britischen Schiff für die hohe Summe von 220 neapolitanischen Dukaten zunächst nach London zu begeben, in der Hoffnung, dort willkommen aufgenommen zu werden und einen akzeptablen Schiffsplatz für China zu erhalten.[19] Im Postskript hatte Massei die Bitte angefügt, der Kardinal möchte ebenfalls für die beiden letzteren an entsprechender Stelle ein gutes Wort einlegen.[20] Antonellis Antwortschreiben vom 3. April 1792 an Massei, in dem er seine Freude darüber bekundet, daß zwei weitere chinesische Priester auf dem Weg in ihre Heimat sind, um sich dort dem Werk der Glaubensverbreitung zu widmen, ist vor allem deshalb hochinteressant, weil man aus ihm erfährt, daß Pius VI. Staunton bei einer Audienz ersucht hatte, König George III. die Bitte vorzutragen, Großbritannien möge das Protektorat über alle katholischen Missionen in China übernehmen.[21]

Am 26. September 1792 trat die Macartney-Gesandtschaft in Spithead die Reise in Richtung China an.[22] Die beiden anderen chinesischen Priester – sie

---

[17] Ebd., 531f.

[18] Über die einzelnen Reiseetappen hat Jakob Li regelmäßig dem Oberen in Neapel und Kardinal Antonelli berichtet. Belege in: ebd., 540-542.

[19] Bei ihnen handelt es sich um Peter Wang (1759–1843), der im Oktober 1773 in das Kolleg eingetreten und im Mai 1785 zum Priester geweiht worden war, sowie um Vinzenz Yan (1757–1794), der sich im Oktober 1777 dem Kolleg angeschlossen und im März 1784 die Priesterweihe erhalten hatte (G. Nardi, *Cinesi a Napoli*, 462, Anm. 75 und 76).

[20] M. Fatica, „Gli alunni del Collegium Sinicum di Napoli“, 532.

[21] Ebd., 533. Zu diesem Ansinnen des Papstes an das Oberhaupt der anglikanischen Kirche: ebd., 533f.

[22] S. Dabringhaus, Einleitung zu J.Chr. Hüttner, *Nachricht von der britischen Gesandtschaftsreise nach China* 1792–1794, 55.

waren am 18. Juni 1792 in London eingetroffen und hatten Macartney das Empfehlungsschreiben Antonellis überreicht, in dem der Kardinal ihn eindringlich bat, daß diese umsonst oder zu ermäßigten Kosten nach Macau mitgenommen werden möchten[23] - schlossen sich in Portsmouth der Gesandtschaft an. Das Handelsschiff Indostan brachte sie dann kostenlos zum gewünschten Zielort.[24]

Am 20. Juni 1793 warfen die Gesandtschaftsschiffe vor Macau Anker. Hier, unweit des chinesischen Festlands, baten Peter Wang, Vinzenz Yan und Paul Ke (der vormals seine Heimat illegal verlassen hatte und deshalb beim Erkanntwerden eine harte Bestrafung befürchtete, zumal er sie nun im Dienst einer fremden Macht betreten sollte) den königlichen Gesandten, sich von der Gesandtschaft trennen zu dürfen, was ihnen auch gestattet wurde. Giambattista Marchini, Prokurator der *Propaganda*-Kongregation in Macau und zuständig für die drei Priester, erteilte Paul Ke die Bestimmung für Peking, wobei er ihn mit der Gruppe eines Bruders von Jakob Li in Verbindung brachte, „eines christlichen Militärmandarins von Kanton“, die soeben auf dem Weg in die Hauptstadt war. Peter Wang wurde in die Provinz Shanxi und Vinzenz Yan nach Huguang geschickt, wo sie als Missionare eingesetzt werden sollten.[25]

Jakob Li, auf englische Weise gekleidet - mit einem Hut und einem Schwert an der Seite -, fand sich als einziger der chinesischen Geistlichen bereit, bei der Gesandtschaft zu bleiben, trotz der Gefahr für Leib und Leben, der er sich dadurch aussetzte. Den kaiserlichen Repräsentanten und Beamten als Mr. Plumb, dem chinesischen Äquivalent des Xing Li, offiziell vorgestellt, diente er Macartney, der ihm vorbehaltlos vertraute, fortan als Übersetzer. Ein prominentes Gesandtschaftsmitglied hat ihn folgendermaßen charakterisiert: Nur Pater Jakob Li habe es gewagt,

> den Gesandten bis nach Peking zu begleiten. Dieser würdige Geistliche, ein durch Herz und Kenntnisse sehr schätzbarer Mann, welcher dem Collegium in Neapel viele Ehre macht, war der Gesandtschaft sehr nützlich. Wie vielen Schaden hätte er tun können, wenn er nicht der ehrliche Mann gewesen wäre, für den der Gesandte ihn hielt und als den er, wie ich gewiß weiß, ihn immer befunden hat! Weil er die Ideen des Gesandten besser als ein Ausländer in seine Muttersprache übertragen konnte, war er als Dolmetscher jedem europäischen Missionar aus Peking weit vorzuziehen.[26]

---

23 M. Fatica, „Gli alunni del Collegium Sinicum di Napoli“, 544f.

24 Ebd., 545.

25 Ebd., 550.

26 J.Chr. Hüttner, *Nachricht von der britischen Gesandtschaftsreise nach China 1792–1794*, 105f.

Da Li der einzige war, der Chinesisch sprach und bei verschiedensten Gelegenheiten als Dolmetscher mit den jeweiligen chinesischen Partnern verhandelte, aber auch prekäre Situationen mit bravourösem diplomatischem Geschick meisterte, galt er sofort als eine der wichtigsten Persönlichkeiten der Macartney-Gesandtschaft.[27] Zurück von Jehol, der Sommerresidenz der Mandschukaiser,[28] wo die Legation am 14. September 1793 - drei Tage vor Vollendung des achtzigsten Geburtstags von Qianlong - eine Audienz beim Kaiser hatte, ließ Li am 3. Oktober Qianlong in Peking eine schriftlich verfaßte und/oder eine durch He Shen (1745-1799),[29] den mächtigsten Mann am Kaiserhof, mündlich vorgetragene Bitte zukommen, mit der er ersucht wurde, die im Land verstreut lebenden chinesischen Christen ihre Religion ausüben zu lassen und keine ungerechten Verfolgungen zu dulden. Denn sie mißachteten nicht die Gesetze des Kaiserreichs, vielmehr mache ihre Religion sie zu moralisch besseren Menschen und zu loyalen Untertanen seiner kaiserlichen Majestät.[30]

In seiner in Mandschu konzipierten Antwort vom 5. Oktober 1793, die von dem Jesuiten Louis de Poirot, der seit 1772 am Hof als Maler tätig war und die Hl. Schrift ins Chinesische übersetzt hat, und von dem Lazaristen Nicolas-Joseph Raux, Leiter der französischen Mission in Peking und mit der Betreuung der britischen Gesandtschaft während ihres Aufenthalts in der Hauptstadt beauftragt, ins Lateinische übertragen wurde, bemerkte Qianlong:

> Ihr Engländer folgtet Jahrhunderte hindurch dem Weg der wahren Religion, jetzt aber beabsichtigt der Legat [Macartney], die anglikanische Religion in China zu verbreiten. Die Religion, die die Chinesen befolgen als von alters her angenommen, darf in keiner Weise geändert werden, wie

[27] Jakob Li „fu subito considerato uno dei personaggi più importanti della legazione“ (M. Fatica, „Gli alunni del Collegium Sinicum di Napoli“, 551).

[28] Bezüglich der einzelnen Reiseetappen und deren jeweilige Ergebnisse sei hingewiesen auf die angegebene Literatur.

[29] Zu diesem konservativen, von einer tiefen Abneigung gegenüber den Europäern erfüllten und intriganten Günstling Qianlongs: D.S. Nivison, „Ho-Shen and His Accusers“.

[30] In der Forschung ist strittig, ob Jakob Li dieses Petitum aus eigener Initiative oder auf eine Anregung Macartneys hin verfaßt hat, der dann damit das Kardinal Antonelli und Li gegebene Versprechen eingelöst hätte. Hierzu: M. Fatica, „Gli alunni del Collegium Sinicum di Napoli“, 556f. Er selbst berichtet im Brief vom 25. Dezember 1795 Antonelli aus Macau über diesen Vorgang: „Dum eramus in Pekin, perturbato statu legationis sine ulla spe, misi petitionem imperatori, ut sinat Christianos Sinenses tranquille suam religionem colere, nullam iniustam persecutionem pati, dum ipsi nil contra leges morales moliuntur“ (Zitat in: ebd., 558).

auch der Kaiser nicht wünscht, daß die Europäer ihre Religion aufgeben: Daher ist diese Bitte nicht vernünftig.[31]

Nach der lateinischen Version besteht Qianlongs Antwort aus drei Teilen: 1. Jede Nation soll ihre Religion bewahren, die dort seit jeher verwurzelt ist. 2. Europa soll dem Christentum treu bleiben und China seiner traditionellen Religion. 3. England hat sich von der altehrwürdigen Religion nicht nur losgelöst, sondern will in China eine neue Religion propagieren.

In der Literatur wird vermutet, daß es sich bei der von den beiden katholischen Ordensleuten vorgenommenen lateinischen Übersetzung um eine bewußte Interpolation und Manipulation handelt, die auf diese Weise zu verhindern suchten, daß mit der Expansion des britannischen Handels in China auch anglikanische Missionare ins Land kämen, um für ihre Religion zu werben.[32]

Am 7. Oktober reiste die Gesandtschaft von Peking ab und kam am 18. Dezember in der südchinesischen Handelsmetropole Kanton an. Von dort trat sie am 10. Januar 1794 die Rückreise über Macau nach Europa an und traf am 5. September wieder in Portsmouth ein.[33] Jakob Li begleitete die Gesandtschaft noch bis Macau, blieb danach jedoch als Missionar in China und hielt bis 1802 brieflichen Kontakt zu Macartney, der ihm angeboten hatte, mit nach England zu kommen, wo er ihm eine Pension der Regierung für seine Dienste zu verschaffen versprochen hatte.[34]

3. Fazit der britischen Gesandtschaftsreise

Von der ursprünglichen Intention und dem Hauptziel her betrachtet, in China für dort unbekannte Produkte der britischen Industrie zu werben, in Nord- oder Zentralchina einen ganzjährig benutzbaren Handelsstützpunkt einrichten und diplomatische Beziehungen zwischen beiden Ländern aufnehmen zu können, war die Macartney-Mission an den Hof des Kaisers Qianlong trotz des enormen Aufwands „ein vollkommener Fehlschlag“, wozu verschiedene Faktoren beigetragen hatten. Interkulturelle Kommunikationsprobleme, die in-

31 „Vos Angli retro saeculis sequebamini institutum verae religionis, nunc autem Legatus habet intentionem in Sinis propagandi religionem Anglicanam; religio, quam Sinenses colunt, ut antiquitus accepta, nec ullo modo mutanda, sicut nec imperator desiderat Europeos suam deserere religionem: ergo haec petitio non est rationabilis“ (Zitat in: ebd.).

32 Zur deutenden Bewertung dieses Vorgangs: ebd., 559-562.

33 S. Dabringhaus, Einleitung zu J.Chr. Hüttner, *Nachricht von der britischen Gesandtschaftsreise nach China 1792-1794*, 72.

34 M. Fatica, „Gli alunni del Collegium Sinicum di Napoli“, 563.

nenpolitischen Einflüsse und wechselhaften Fremdbilder innerhalb beider Gesellschaften hatten den Verlauf der Begegnung nachhaltig beeinflußt, die mit der Ablehnung des je kulturell anderen endete.

> Die Gesandtschaft erreichte nicht mehr, als daß der Kaiser geringfügige protokollarische Zugeständnisse machte und sich zu einer in Ediktform gehaltenen Antwort auf einen Brief König Georgs III. herbeiließ. Dieses berühmte Dokument ist immer wieder als ein hochmütig-verblendeter Ausdruck eines „sinozentrischen" Weltverständnisses gedeutet worden. In der Tat sind selten in der Geschichte vor dem „Zeitalter der Ideologien" unterschiedliche Kosmologien und Weltbilder härter aufeinandergeprallt. Im Sichtbarmachen einer solchen Kulturkollision liegt gewiß eine wichtige symptomatische Bedeutung der Macartney-Gesandtschaft. Aber hinter der herablassenden Tributrhetorik des Himmelssohnes und der Weigerung seiner Höflinge und Beamten, sich durch die Werkstücke aus Birmingham beeindrucken zu lassen, steht auch ein gut Teil Pragmatismus und Realpolitik. Das Mißlingen der Gesandtschaft trotz Macartneys kunstreicher und taktvoller Diplomatie ist auch bezeichnend für die tatsächlichen Machtverhältnisse in jenem Jahr, in welchem in Europa der lange Weltkrieg zwischen der Französischen Revolution und ihren Gegnern begann.[35]

Dennoch hat sich 1793 ein neues Zeitalter angekündigt,

> als Lord Macartney sich weigerte, vor dem chinesischen Kaiser die vorgeschriebenen Huldigungsgesten zu vollziehen. Ein neuer Sinn für die Andersartigkeit, Würde und moralische Überlegenheit europäischer Politik fand sinnfälligen Ausdruck im Stolz des britischen Gesandten.[36]

---

[35] J. Osterhammel, *China und die Weltgesellschaft*, 123.

[36] Ebd., 44. Zur Deutung der Macartney-Mission und ihrer Auswirkungen auf das Chinabild in Europa: S. Dabringhaus, Einleitung zu J.Chr. Hüttner, *Nachricht von der britischen Gesandtschaftsreise nach China 1792–1794*, 72-81.

Drittes Kapitel
Umwandlung des Asiatischen Kollegs von Neapel in ein Orientalisches Institut

1.
Klärung der Eigentumsverhältnisse

Antiklerikale Kreise übten scharfe Kritik vor allem am Finanzgebaren der Mitglieder der Kongregation der Hl. Familie Jesu Christi, denen sie skrupellose wie massive Veruntreuung der Gelder unterstellten. So diene nur ein bescheidener Teil des Kapitals den weltlichen Zielen der Institution. Das meiste werde verwendet für die Verwaltung des Vermögens und der Besitztümer, für das Internat, die wenigen Priester und Laienbrüder, für das Dienstpersonal, ferner für hl. Messen, gottesdienstliche Verrichtungen, kirchliche Feste und Jahresgedächtnisse. Der orientalischen Philologie und den Missionen käme lediglich ein bescheidener Anteil zugute. Aus diesem Grund sei eine Entscheidung zwecks Beseitigung der beklagenswerten Mißstände dringend geboten, damit ein Vermögen, das in anderthalb Jahrhunderten durch hochherzige Schenkungen und Zuschüsse von Fürsten und der Bevölkerung akkumuliert worden sei, in Zukunft der hohen ursprünglichen Zweckbestimmung zugeführt werde.

Da von den Gegnern des Kollegs der Chinesen bezweifelt wurde, daß es sich bei dem von Matteo Ripa gegründeten Institut um eine private Anstalt oder um eine moralische beziehungsweise juristische Entität handelte, mußte zunächst dieser Sachverhalt geklärt werden. Für den Staat ergab sich hinsichtlich der Eigentumsverhältnisse eine große Schwierigkeit dadurch, daß vor allem aufgrund des Breves „Iniunctis nobis“ vom 16. April 1736 und der Regeln der Kongregation der Hl. Familie Jesu Christi das Kolleg einen eminent kirchlichen Charakter besaß, weswegen die öffentliche Hand darüber nicht einfach verfügen konnte. Überdies hatte das zwischen Ferdinand I. und dem Hl. Stuhl geschlossene Konkordat von 1816 sämtliche Immunitäten und Privilegien kirchlicher Einrichtungen enorm erweitert, wobei dieses Kolleg bis 1860 sogar als ein betont monastisches Institut angesehen worden war.

Die italienischen Gerichtshöfe, zumal das römische Kassationsgericht, hatten dargelegt, daß „gemeinschaftliches Leben“ und die kirchliche Eigenart eines Instituts, wovon Artikel 1 des königlichen Dekrets vom Juli 1866[1] han-

---

1 Artikel 1 des Dekrets vom Juli 1866 lautet: „Non sono più riconosciuti nello Stato gli Ordini, le Corporazioni e le Congregazioni religiose regolari e secolari e di Conser-

delte – es ordnete gleichfalls die Unterdrückung der weltlichen Vereine und Konservatorien an –, nicht im strengsten Sinn des kanonischen Rechts zu interpretieren seien, denn dann gehörte die Ablegung feierlicher Gelübde notwendig dazu. Statt dessen faßte die Jurisprudenz diese Ausdrücke im weiteren Sinn und im allgemeinen Sprachverständnis auf. In gleicher Weise verfuhr man mit dem Adjektiv „religiös", das im Sinn von „regular" genommen wurde, wie es ebenfalls im engen Gebrauch des kanonischen Rechts geschah.[2] Danach wäre die juristische Basis als Voraussetzung gegeben gewesen, die Kongregation der Hl. Familie Jesu Christi, die man 1861 als regulare Einrichtung noch ausgenommen hatte, durch das Dekret von 1866 aufzuheben.

Infolge der schwankenden, überdies sich widersprechenden Auslegungen in den ersten Jahren nach der Promulgation des Dekrets durch die verschiedenen Gerichtsinstanzen, die von den Anwälten der Priester-Kongregation angegangen worden waren, um deren verbrieftes Recht einzufordern, gelangte eine von der Regierung eingesetzte Sonderkommission zu der Überzeugung, daß es sich bei diesem Institut um eine Erziehungsanstalt mit einem speziellen Charakter handelte, dessen Mitglieder die Regeln und Konstitutionen geschickt zu verschleiern gewußt und die das Institut bloß als Annex des Kollegs interpretiert hätten, das somit keine eigenständige juristische Persönlichkeit besitze. Dank dieser Argumentation war es der Kongregation gelungen, die drohende Aufhebung, die seit geraumer Zeit wie ein Damoklesschwert über ihr schwebte, nicht nur hinauszuzögern, sondern fürs erste davon verschont zu bleiben und das gesamte Vermögen vor der Konfiszierung durch den Staat zu bewahren. Um diesem Schicksal zu entgehen, hätten die Mitglieder der Priestergemeinschaft selbst nichts unversucht gelassen, um ihre eigene Nationalität zu verleugnen, so der gegnerische Vorwurf. Zunächst erklärten sie im Memorandum ihres Anwalts Tagliamonte, dann in einer Eingabe an das Ministerium für auswärtige Angelegenheiten vom 4. Januar 1867 und zuletzt vor Gericht, daß es sich bei ihrem Institut um eine gänzlich auswärtige Einrichtung handle.[3] Aus der Sicht der Antagonisten ließ sich eine derartige Verhaltensweise allenfalls rechtfertigen im Hinblick auf die von den Institutsangehörigen unterstrichene Relevanz dieser Einrichtung bezüglich künftiger wirtschafts- und handelspolitischer Vorteile für die heimische Industrie sowie der außenpolitischen Beziehungen Italiens zu Ostasien. Indessen vermochten sämtliche

---

vatorii e Ritiri, i quali importino vita comune ed abbino carattere ecclesiastico" (Zitiert in: Camera dei Deputati. Relazione della commissione sul disegno di legge [N. 88-A], presentato dal Ministro della Istruzione Pubblica il 17 dicembre 1887: Riordinamento del Collegio Asiatico di Napoli, in: *Atti Parlamentari – Senato del Regno [N. 137]*, 12).

2 Ebd.

3 Ebd.

strategischen Erörterungen und Verfahrenstricks nicht zu verhindern, daß der Staat eine Neuorganisation der Ripa-Gründung vornahm.

2.
Namensänderung des Kollegs der Chinesen und seine Umgestaltung

Mit dem königlichen Dekret vom 12. September 1869 hatte der Unterrichtsminister [= Staatsminister für die Öffentliche Ausbildung] A. Bargoni der mißlichen Kontroverse dadurch ein Ende bereitet, daß er einerseits das von Ripa gegründete Kolleg der Chinesen anerkannte, ohne diese Bestätigung auf die Kongregation der Hl. Familie Jesu Christi auszudehnen, andererseits es zur juristischen Person des öffentlichen Unterrichtswesens erklärte sowie die Namensänderung „Königliches Asiatisches Kolleg von Neapel" unter gleichzeitiger Übernahme der Leitung und Verwaltung durch das Unterrichtsministerium verfügte. Dem kirchlichen Kolleg für junge Chinesen fügte man eine weltliche Schule zum Studium lebender Sprachen Ostasiens wie auch europäischer bei und erweiterte die ursprüngliche kirchliche Zielsetzung durch eine weltliche Programmatik.[4] Ferner konstituierte man davon getrennt einen Verwaltungsrat für das Vermögen, der aus einem Präsidenten und sechs Mitgliedern bestand, von denen zwei Priester der Kongregation waren. Später wurden durch die Dekrete des Ministers Francesco De Sanctis (1817–1883) vom 28. Oktober und 8. Dezember 1878 die Verwaltung und Leitung der Körperschaft konzentriert in der Person eines königlichen Konservators, dem ein Schatzmeister und ein Sekretär zur Seite standen. Mit diesen Maßnahmen sollten ein für allemal die Eigentumsverhältnisse zugunsten des Staats entschieden sein, dem angeblichen oder tatsächlichen Mißmanagement ein Ende bereitet, die Finanzsituation geklärt, die auf offenkundig niedrigem Niveau angesiedelte Zahl der Studierenden - von 1724 bis 1887 waren es nur 106 chinesische Alumnen - signifikant erhöht, neue Qualitätsstandards sowie eine größere Ef-

---

[4] G. Nardi, *Cinesi a Napoli*, 498. Schon vor der Publikation des Dekrets vom 12. September 1869 sind diese Reformmaßnahmen mit den Mitgliedern der Kongregation der Hl. Familie Jesu Christi beraten und von ihnen approbiert worden. Außerdem hatte man bereits 1868 den gebräuchlichen Namen „Kolleg der Chinesen" in „Asiatisches Kolleg" geändert. Insofern sanktionierte das Dekret die Reform nur legal, die vorher inoffiziell vereinbart worden war. Hierzu aufschlußreich die Ausführungen des Oberen der Priestergemeinschaft, Giuseppe Gagliano, bei Gelegenheit der feierlichen Eröffnung des Asiatischen Kollegs am 25. November 1868: „Discorso inaugurale pronunziato in occasione della solenne apertura del Collegio Asiatico di Napoli", Neapel 1868. Nach der Ansprache wurde das Programm des Asiatischen Kollegs von Neapel vorgestellt, in Französisch gedruckt und den Orientalischen Instituten Europas zur Kenntnisnahme zugesandt.

fizienz der vom Staat vorgeschriebenen und zu kontrollierenden Leistungen erreicht werden.

Der Wortlaut des von A. Bargoni vorgeschlagenen und von König Vittorio Emmanuele II. unterzeichneten Dekrets zur Neuordnung des Kollegs lautet:[5]

> Artikel 1
> Das Chinesische Kolleg, gegründet von Matteo Ripa in Neapel, wird anerkannt als juristische Person der Öffentlichen Ausbildung; es untersteht dem Ministerium für Öffentliche Ausbildung unter dem Namen Königliches Asiatisches Kolleg von Neapel.
>
> Artikel 2
> Das Königliche Asiatische Kolleg von Neapel besteht aus einer Schule mit Konvikt für junge Asiaten gemäß den ursprünglichen Anordnungen des Gründers Matteo Ripa und einer Schule mit dem Zweck, einigen externen Italienern und Ausländern eine spezielle Ausbildung zu bieten, die sich in ihren linguistischen Studien sowie in den Angelegenheiten bezüglich des Handels und der wissenschaftlichen Erforschung derselben Region Asiens vervollkommnen wollen.
> Unter Gewährung der finanziellen und der anderen materiellen Mittel für das Königliche Asiatische Kolleg kann in ihm auch ein Konvikt für nicht-asiatische Schüler errichtet werden, gemäß den zusätzlichen Normen und Fächern, die durch ministeriales Dekret zu erstellen sind.
>
> Artikel 3
> Das Vermögen (Patrimonium) des Kollegs wird von einem Rat verwaltet, der vom Ministerium für Öffentliche Ausbildung ernannt und aus einem Präsidenten sowie sechs Mitgliedern zusammengesetzt ist; zwei davon sind aus den Priestern zu wählen, die die ursprüngliche Ripa-Gründung berufen hatte, das Konvikt der jungen Asiaten zu leiten. Die Leitung der religiösen und zivilen Erziehung des Konvikts verbleibt denselben Personen anvertraut, die der Gründer bestimmt hatte.
>
> Artikel 4
> Der Verwaltungsrat sorgt für alles, was die ökonomischen Belange des Königlichen Asiatischen Kollegs betrifft, stellt den Etat für Eingänge und Ausgaben für jedes Rechnungsjahr auf und erstellt die Bilanz.
> Der Etat, versehen mit allen diesbezüglichen Anlagen, muß dem Ministerium für Öffentliche Ausbildung mindestens zwei Monate vor dem respektiven Rechnungsjahr vorgelegt und darf erst nach ministerieller Genehmigung ausgeführt werden.

---

[5] Das Dekret findet sich in: G. Nardi, *op. cit.*, 632f.

Die Bilanz, gleichermaßen versehen mit allen Rechnungsbelegen, muß dem Minister innerhalb der ersten zwei Monate des folgenden Rechnungsjahres vorgelegt werden.

Artikel 5
Der Verwaltungsrat bleibt drei Jahre im Amt. Seine Mitglieder können wiedergewählt werden.
Bei Feststellung von Unregelmäßigkeiten in der wirtschaftlichen Leitung und der Erstellung des Etats sowie der Bilanz kann der Minister zu jedem Zeitpunkt den Rat auflösen und neue Ernennungen vornehmen.

Artikel 6
Der Verwaltungsrat tritt regelmäßig alle vierzehn Tage zusammen; er kommt in außerordentlicher Sitzung zusammen, wenn er entweder vom Präsidenten selber oder auf Verlangen von mindestens zwei Mitgliedern einberufen wird.

Artikel 7
Der Verwaltungsrat bestellt in seiner ersten Sitzung jeden Jahres aus seinen eigenen Reihen die offiziell mit der täglichen Geschäftsführung des Kollegs Beauftragten, unter der Verantwortung desselben Rates.

Artikel 8
Ein weiteres königliches Dekret wird die Studienordnung und die Curricula der Fächer für die Ausbildung und die Erziehung der asiatischen und nichtasiatischen Schüler des Kollegs regeln.

Überdies wurde den Gesellschaftern untersagt, anstelle der durch Tod ausgeschiedenen Mitglieder neue aufzunehmen, was praktisch der Elimination des Instituts auf kaltem Weg gleichkam. Im weiteren Verlauf wurden zahlreiche ministerielle Überprüfungen und Kontrollen durchgeführt, die sich alle äußerst nachteilig auf das Kolleg auswirkten. Zur gleichen Zeit wurde im italienischen Parlament und in der Öffentlichkeit über die Neuordnung des Asiatischen Kollegs von Neapel, dem eine zeitgemäße und den kulturellen Erfordernissen entsprechende Grundlage gegeben werden müßte, immer wieder und äußerst kontrovers diskutiert. Von gewissen gesellschaftlichen Gruppen, denen die kirchliche Einrichtung ein Dorn im Auge war, die sie um jeden Preis zu beseitigen trachteten, wurden alle möglichen Gründe, unbewiesene Behauptungen, Halbwahrheiten sowie bösartige Unterstellungen und Verdächtigungen ins Feld geführt, um das Kolleg und die Kongregation der Hl. Familie Jesu Christi an den Pranger zu stellen und in der Öffentlichkeit zu diskreditieren. Für den angeblich desolaten Zustand des Instituts machten sie die Mitglieder der Priestergemeinschaft verantwortlich, die nicht das geistige und spirituelle Format ihres Gründers hätten. Von ihnen kenne auch niemand eine der Sprachen, die die Conditio sine qua non für die Evangelisierung in Ostasien seien. Auch sei keiner von ihnen weder theologisch noch fachlich so qualifiziert und pädagogisch befähigt, um den internen Alumnen inhaltlich und didaktisch Wissen zu vermitteln. Selbst der erste Unterricht in Italienisch, Latein und in anderen Fächern werde ihnen von einem auswärtigen Lehrer und einem ehemaligen Alumnen des Kollegs, dem chinesischen Priester Franz Xaver Vam, beigebracht. „Also nicht die gehobene Bildung, nicht die Lehrtätigkeit, noch die Selbstlosigkeit legitimieren die Existenz dieser Priester in einem Werk, das die Selbstverleugnung eines ständigen Apostolats erfordert."[6] Zudem bezweifelte man, ob ein Institut eine fruchtbare Zukunft haben könne, das sich ein falsches Ziel vorgebe und einem ausschließlich religiösen Zweck diene.

Den von Bargoni initiierten Reformmaßnahmen im Hinblick auf das Asiatische Kolleg schlossen sich andere an, so die durch das Dekret vom 26. Oktober 1875 des Ministers Ruggero Bonghi sowie die durch drei weitere vom 28. Oktober und 8. Dezember 1878 des Ministers De Sanctis.

Gegen Bonghis Reformvorhaben, das zu dem kirchlichen Internat zwei weltliche Abteilungen vorsah, die unmittelbar die Kongregation tangiert hätten, legten deren Mitglieder beim Staatsrat energisch Beschwerde ein, wobei sie nicht nur diese Anordnung ablehnten, sondern auch die ersten Dekrete Bargonis.[7] Der Staatsrat ließ sich von der Argumentation der Priestergemeinschaft überzeugen, daß es sich bei diesem Institut um eine moralische Körperschaft spezieller Natur handelte mit einem dezidiert religiösen und einem weltlichen Ziel. Wegen formaler Mängel zog er am 22. Juni 1878 das angefochtene Dekret zurück. Zugleich forderte er das Unterrichtsministerium auf, neue Expertisen zum Asiatischen Kolleg von Neapel in Auftrag zu geben, da-

---

[6] Giacomo Lignana, Relazione del commissario speciale a S. E. il Ministro della P. I. [Pubblica Istruzione] sul R[egale] Collegio Asiatico, Roma 1881, 7f. Diesen Bericht vom 2. Dezember 1881 hat das Unterrichtsministerium dem Parlament vorgelegt. Lignana, Spezialist für orientalische Sprachen, hatte die durch das Dekret des Unterrichtsministers De Sanctis' vom 28. Oktober 1878 gegründete externe Schule für lebende orientalische Sprachen und Naturwissenschaften mit Vorlesungen aus seinem Fachbereich eröffnet. Bereits damals, also vor dem anderen konstruktiven und zukunftsweisenden Reformdekret von De Sanctis vom 10. November 1880, aufgrund dessen neben der Juristischen Fakultät der Universität Neapel eine diplomatisch-konsularische Schule errichtet worden war („Allo scopo d'accrescere la cultura superiore e meglio preparare alla carriera diplomatica e consolare specialmente i giovani che studiavano nel r. Collegio Asiatico". Zitat in: G. Nardi, *op. cit.*, 528, Anm. 24), hatte man mit dem Unterricht des Arabischen und Russischen, nach der besagten Reform den Unterricht in Hindi, Urdu, des Persischen und des modernen Griechisch eingeführt (ebd., 499).

[7] Ebd., 515.

mit eine definitive Neuordnung und Umgestaltung zum Wohl der Wissenschaft und des Staats erreicht werde.[8]

Im weiteren Verlauf der Bemühungen um eine nachhaltige Reform des Asiatischen Kollegs standen sich zwei Grundpositionen diametral und unversöhnlich gegenüber, die jeweils für sich die Richtigkeit ihrer wohlbegründeten Standpunkte reklamierten: die Exekutive mit der Mehrheit der Abgeordnetenkammer, die in verschiedenen Expertisen und Kommissionsberichten die dringliche Notwendigkeit der Neugestaltung des Asiatischen Kollegs forderte, und die Kongregation der Hl. Familie Jesu Christi, die nicht müde wurde zu betonen, daß es sich um das Eigentum einer juristischen Körperschaft privater Gründung handle, das nicht verletzt werden dürfe und nur, wenn überhaupt, mit einer gerechten Entschädigung säkularisiert werden könne. Ihre Mitglieder seien die Hüter der Körperschaft und ihres Erbes, dessen Verwaltung der Ausübung des Eigentumsrechts für die Körperschaft gleichkomme; eines Erbes, das sie allein verwenden und in Anspruch nehmen könnten, über das jedoch der Regierung oder der Nation nicht wie über eine Annexion oder über eine „res nullius" zu verfügen erlaubt sei, um es dem Belieben des Ministers anheimzustellen, der die Meinung propagiere, er dürfe anstelle des alten Instituts ein neues errichten.

Bei den konfliktträchtigen Beratungen im Parlament am 8. Dezember 1881 über die Bilanzvorlagen für die öffentliche Bildung und das Ministerium für auswärtige Angelegenheiten, bei denen die Rede gleichfalls auf das Asiatische Kolleg kam, forderte Bonghi ein Gesetz, um damit eine wirksame und umfassende Reform dieser Anstalt sicherzustellen. Denn wegen dieses Desiderats sei es den Mitgliedern der Priestergemeinschaft stets gelungen, die von der Regierung projektierte, radikale Neuorganisation scheitern zu lassen. Deshalb forderte er die Regierung eindringlich auf, einen diesbezüglichen Gesetzentwurf auszuarbeiten und dem Parlament zur Beratung vorzulegen.[9] Die Kammer der Abgeordneten, die sich die Forderung Bonghis nach einer Gesetzesvorlage zu eigen machte, verlangte von der Regierung zu überlegen, ob es nicht sachgemäßer wäre, das Asiatische Kolleg dem Ministerium für auswärtige Angelegenheiten zu unterstellen.[10]

Da die verschiedenen Neuerungen bislang aufgrund königlicher Dekrete, also nicht auf einer gesetzlichen Grundlage, erfolgt waren und deshalb nach

---

[8] „Il Consiglio di Stato opinò doversi revocare il decreto Bonghi per illegittimità di forma, esortando il Ministro di pubblica istruzione a ‚promuovere nuovi studi intorno al Collegio asiatico per procacciare un definitivo riordinamento'" (Zitiert in: Camera dei Deputati, Relazione, 13).

[9] G. Nardi, *Cinesi a Napoli*, 517f.

[10] Ebd., 517.

Überzeugung der Mitglieder der Kongregation der Hl. Familie Jesu Christi ein exekutives Fehlverhalten darstellten, wandten sie sich an den König mit dem Ersuchen, eine Revision der Dekrete anzuordnen, weil diese ihre Rechte verletzten und dem Institut Schaden zufügten. Obwohl der Staatsrat verfügt hatte, daß das Dekret vom 26. Oktober 1875 rückgängig gemacht werden müßte, blieb der Rekurs erfolglos, da sich das Unterrichtsministerium bestimmter Tricks bediente, um die Entscheidung des Staatsrats zu unterlaufen. Deshalb rief die Kongregation den Appellationsgerichtshof in Neapel an, um einen dem Sachverhalt entsprechenden Entscheid zu erwirken. Im Urteil vom 6. August 1883 gab er der Priestergemeinschaft recht, indem er erklärte, daß diese Stellungnahme in der Regel von 1736 und im Testament von Matteo Ripa von 1746 begründet liege, die zusammen mit den Verfügungen von 1727 und dem Breve „Nuper pro parte“ vom 7. April 1732 das legale Fundament der Gründung bildeten.[11]

Die Regierung wollte sich allerdings damit nicht abfinden, weshalb sie neue Dekrete erließ, um auf diese Weise eine neue Rechtssituation zu schaffen. Nach mehreren anderen Gerichtsbeschlüssen, die teilweise miteinander konkurrierten oder sich widersprachen, verkündete schließlich das Appellationsgericht in Neapel, bei der die Priestergemeinschaft Berufung eingelegt hatte, am 21. Oktober 1883 folgendes Urteil:

1. Das Kolleg der Chinesen ist eine private Gründung mit religiöser Zielsetzung und steht unter kirchlicher Leitung.
2. Der Obere Giovanni Falanga und die übrigen Mitglieder der Kongregation haben das Recht auf den Besitz und die Verwaltung der Güter des Kollegs sowie das Recht auf die Ausübung der ihnen durch die Statuten und Regeln des Instituts übertragenen Befugnisse. Diese Rechte sind durch die königlichen Dekrete verletzt worden.[12]

Der daraufhin von der Regierung beim Kassationshof in Rom gegen das Urteil eingelegte Einspruch, demzufolge die Frage der Kompetenz von der richterlichen Gewalt überprüft werden sollte, wurde im Sinn der Kongregation bejaht. Nachdem die Zuständigkeit mit dem endgültigen, nicht mehr verhandelbaren [*irretrattabile*] Urteil der Vereinten Kammern des Kassationshofs von Rom geklärt und ein Urteil des 1. Senats des Berufungsgerichts von Neapel wegen mangelnder Begründung annulliert worden war, hatte ein weiteres Urteil des 3. Senats desselben Gerichtshofs vom 21. Dezember 1883 folgenden Wortlaut:

---

[11] Ebd., 518.

[12] Kardinal-Staatssekretär Mariano Rampolla Del Tindaro, „Circolare sulla legge con cui il Governo d'Italia trasforma in Istituto Filologico il Collegio dei Cinesi in Napoli“ vom 11. Januar 1889, in: Archivio della Segreteria di Stato (= ASVat/ASS), anno 1889, Rubr. 280: Collegio dei Cinesi di Napoli.

1. daß das Kolleg der Chinesen, heute Asiatisches Kolleg genannt, eine private Gründung mit religiöser Zielsetzung ist und unter kirchlicher Leitung steht;
2. daß [Giovanni] Falanga und seine Mitarbeiter [*consorti*] in ihrer Eigenschaft als Mitglieder der Kongregation der Weltpriester der Hl. Familie Jesu Christi Anrecht haben auf den Besitz und die Verwaltung der Güter des genannten Kollegs sowie auf den Besitz sämtlicher Titel, die diesem eignen;
3. daß Falanga und seine Mitarbeiter in ihrer genannten Eigenschaft gleichermaßen Anrecht haben auf die exklusive Ausübung der Befugnisse, die ihnen aufgrund der Regeln und Konstitutionen des Instituts, so wie der Gründer Matteo Ripa sie verfaßt hat, übertragen wurden, und zwar in allem, was die interne Leitung und den Unterricht des Instituts betrifft, unbeschadet der Regierungsaufsicht des Unterrichtsministers, insoweit diese den Unterricht in den höheren Schulen und die Betreuung [*sorveglianza*] von Alumnen in allen anderen Erziehungs- und Bildungsbereichen der Staatsschulen zum Schutz von Moral, Hygiene und der öffentlichen Ordnung betrifft;
4. daß die genannten Rechte verletzt werden durch die Königlichen Dekrete vom 12. September 1869, Nr. 5290 und 5291, - vom 2. Juni 1870, Nr. 5699, - vom 16. April 1874, Nr. 1588, - vom 26. Oktober 1875, Nr. 2876, - vom 28. Oktober 1878, Nr. 4606 und 4607 Serie 2, - vom 8. Dezember 1878, Nr. 4671 und 4672 Serie 2, samt den entsprechenden Ausführungsbestimmungen;
5. daß keine Veranlassung besteht, so zu entscheiden, weder in bezug auf die Forderung der Fortsetzung der Unterhaltszahlungen noch hinsichtlich der Verluste, deren Rechtmäßigkeit - ob und wie - durch Gesetz geregelt ist;
6. daß es das Unterrichtsministerium zugunsten der Prozeßkläger Falanga und Konsorten verurteilt, in der angegebenen Eigenschaft, zur Zahlung der Hälfte der bisher aufgewendeten Gerichtskosten einschließlich derer der Kassation von Rom und Neapel, sowie zur Zahlung der Hälfte aller Anwaltshonorare des Anwalts beim Gerichtsschreiber [*Consigliere estensore*]. Die andere Hälfte wird kompensiert.[13]

Gegen dieses Urteil ging das Unterrichtsministerium in Berufung, aber die Beschwerde wurde von den Vereinten Kammern des Kassationshofs in Rom zurückgewiesen mit Urteil vom 9. Juli 1887, veröffentlicht am 9. August desselben Jahres. Dieses Urteil lautet:

> Das Gericht mit den vereinten Senatskammern weist die vom Unterrichtsministerium und vom Konservator des Asiatischen Kollegs in Neapel vorgetragene Berufung ab, die sie gegen das Urteil des 3. Zivilsenats des Appellationshofs von Neapel, gefällt am 11. Dezember 1887 und veröffentlicht am 31. Dezember desselben, angestrengt hatten.

[13] Wiedergegeben in: G. Nardi, *Cinesi a Napoli*, 522. Geringfügige Ergänzungen sind den parlamentarischen Akten der Abgeordnetenkammer entnommen (Camera dei Deputati, Relazione, 15).

> Es verurteilt die Berufungskläger zur Zahlung der Spesen des gegenwärtigen Kassationsurteils in Höhe von 24 Lire, 70 cent. sowie zur Zahlung von 100 Lire als Honorar des Anwalts.[14]

Durch dieses Urteil wurde das Ripa-Institut wieder in seine Rechte eingesetzt. Über die Verwaltungsgerichte bestimmt das Gesetz in Artikel 4:

> Wenn der Rechtsstreit ein Recht betrifft, das angeblich durch einen Verwaltungsakt verletzt wurde, sollen die Gerichte sich darauf beschränken, die Auswirkungen [*effetti*] des betreffenden Akts in bezug auf den im Gericht dargelegten Sachverhalt zu ermitteln.
> Der Verwaltungsakt kann nicht rückgängig gemacht oder modifiziert werden, es sei denn aufgrund einer Eingabe an die betreffenden Verwaltungsautoritäten, die sich dem Urteil der Gerichte, insoweit es den entschiedenen Fall betrifft, unterwerfen müssen.
> Buchstabe und Geist des Gesetzes verpflichten die Verwaltungsbeamten, sich nach vorausgegangenem Rekurs an den König und nach erhaltenem Königlichen Dekret, der richterlichen Entscheidung zu unterwerfen.[15]

In Übereinstimmung mit dem zitierten Gesetz machten die Verantwortlichen des Kollegs auf dem Instanzenweg eine Eingabe an S. M. den König, damit das Urteil ausgeführt werde.

Der an den König eingesandte Rekurs wurde unterwegs vom Unterrichtsministerium zurückgehalten. Auf die Anfrage, wieso der Einspruch nicht weiter behandelt werde, antwortete der Minister: Man erarbeite eine das Kolleg betreffende Gesetzesvorlage und wolle sie dann dem Parlament zur Beratung unterbreiten, deshalb sei jeder die Anstalt betreffende Schritt gestoppt worden. Die Regierung hatte nämlich aufgrund der Auskunft des Kassationshofs in Rom *nolens volens* zur Kenntnis nehmen müssen, daß eine substantielle Änderung des Asiatischen Kollegs, das von ihm als eine moralische Körperschaft einer ursprünglich privaten Gründung qualifiziert worden war, nicht durch Dekrete der Exekutive, sondern nur durch ein Gesetz legitim war. Die Regierung konnte zwar eine private Gründung als solche reformieren, sie hatte jedoch kein Recht, sie in ihrem Wesen umzuwandeln.[16]

---

[14] Sentenza della Ecc.ma Corte di Cassazione di Roma a sezione riunite contro il Ministero della P. I. nella vertenza col Collegio dei Cinesi di Napoli, Napoli 1887.

[15] Zitiert in: Memorandum alle Camere legislative del Regno d'Italia pel Collegio dei Cinesi di Napoli, Napoli 1888.

[16] Dazu die Anmerkungen in: Camera dei Deputati, Relazione, 44.

3.
Neuordnung des Asiatischen Kollegs von Neapel

Seit 1881 war der Abgeordnetenkammer vom Unterrichtsministerium wegen der anhaltenden Kontroverse der Exekutive mit der Kongregation der Hl. Familie Jesu Christi und deren Interessenvertretungen um das Kolleg sowie des ständigen Hin und Her der verschiedenen Gerichtsinstanzen wiederholt eine Gesetzesvorlage in Aussicht gestellt worden, da diese bei bestimmten Anlässen und Vorgängen eine solche von der Regierung stets aufs neue eindringlich reklamierte.[17] Denn es bestand dringender verfassungsmäßiger Entscheidungsbedarf, um den Dauerkonflikt der streitenden Parteien definitiv zu beenden. Zuletzt hatte der Unterrichtsminister Michele Coppino nach der Niederlage vor dem Kassationshof in Rom der Abgeordnetenkammer eine Gesetzesvorlage versprochen.

Unter dem Präsidenten Comin erarbeitete eine aus neun Abgeordneten bestehende Kommission einen ausführlichen Bericht über die Genese und Entwicklung des Asiatischen Kollegs von Neapel sowie über seine momentane Situation und zukünftige Konzeption im Hinblick auf seine Neuordnung. Am 17. Dezember 1887 legte Unterrichtsminister Coppino die Expertise in der Sitzung der Abgeordnetenkammer vor. Seiner erklärten Absicht zufolge bestand die Intention der Präsentation nicht darin, eine Körperschaft zu vernichten, vielmehr verfolgte sie den Zweck, begründet nachzuweisen, daß sie zwar erhalten bleiben solle, es aber zugleich galt, sie umzuwandeln, zu entwickeln sowie den inzwischen eingetretenen Veränderungen und den von der Tagesordnung diktierten Ansprüchen anzupassen. Das Unzeitgemäße und durch die historische Entwicklung Überholte sowie Ineffektives und Unnützes - dazu zählten nach Ansicht des Ministers sowohl die Kongregation als auch das Internat - zu eliminieren, darüber herrschte Konsens, und es bestand somit unaufschiebbarer Reformbedarf. Coppino zufolge galt es ferner, den säkularen Charakter des Asiatischen Kollegs, der bereits in den souveränen Verfügungen zu seiner Errichtung keimhaft angelegt worden sei, exakt zu klären. Dieser müsse nun den modernen Bedürfnissen und Bestrebungen gemäß gestaltet werden mit einer Bildungseinrichtung für die lebenden orientalischen Sprachen sowie ergänzenden und flankierenden Studien, die der friedlichen italienischen Expansion in die Länder Ostasiens und deren Kenntnis dienlich seien.[18]

Diese programmatische Konzeption und plausible Begründung fanden die einmütige Zustimmung der Abgeordnetenkammer. Entsprechend dieser Zielvorgabe erarbeitete die Kommission einen Gesetzentwurf für die intendierte

---

17 Ebd., 16.

18 Ebd.

Umwandlung des Kollegs. Dieser Text löste dann allerdings in der Abgeordnetenkammer eine heftige Diskussion aus, die eine Reihe von Verbesserungen notwendig machte, insbesondere was das Verhältnis zwischen dem Staat und der Kongregation der Hl. Familie Jesu Christi sowie die Wahrung ihrer Rechte betraf. Unter anderem mußte vor allem die kontrovers erörterte Frage geklärt werden, ob das der Legislative zur Entscheidung vorzulegende Gesetz nicht ungerechtfertigterweise die einzelnen Mitglieder der Priestergemeinschaft oder die Körperschaft insgesamt ihrer legitimen Ansprüche beraubte.[19] Die juristischen Experten führten einschlägige Rechtsinterpretationen und Urteile zu vergleichbaren Sachverhalten ins Feld, denen zufolge das Gesetz sie vor Umgestaltung bewahre. Dies falle in die Rechtskompetenz des Staats, der fiktiven Personen Leben gebe und nehme. Obwohl heute die staatliche Machtfülle gegenüber früheren Jahrhunderten weithin eingeschränkt sei, so argumentiere die römische Kassation in gleicher Weise, wenn sie erkläre:

> Es ist allein die Nation und durch sie das Gesetz, die den Antrag der Gründer entgegennehmen, um mit der Rechtskompetenz abzuschätzen, was das Allgemeinwohl verlangt, um jederzeit solche juristischen Körperschaften zu ändern, zu reformieren oder auch aufzuheben, denen sie gestattet hat, in ihrer Mitte zu entstehen und zu existieren, um eine besondere Aufgabe wahrzunehmen. Dies ist ein Recht der Souveränität im gesellschaftlichen Interesse, dem die Achtung vor dem Willen der Gründer zu weichen hat.[20]

Nach Abwägen der dafür- und dagegensprechenden Argumente einigte man sich auf folgende Aussage: „Die Priester der Kongregation haben also kein Recht auf Rückerstattung noch auf Rechenschaftsablage; das vorgeschlagene Gesetz hat keine rückwirkende Kraft und beraubt niemanden.“[21] Im übrigen werde niemand beraubt, wo es keine Eigentümer gebe, was eben auch auf die Mitglieder der von Ripa ins Leben gerufenen Priestergemeinschaft zuträfe. Die für diese Schlußfolgerung angeführten Begründungen wurden durch weitere, nicht minder stringente und evidente Überlegungen komplettiert.

Der von der Kommission, dem Unterrichtsministerium und den Autoren der Amendements überarbeitete und abgestimmte Text der Gesetzesvorlage

---

[19] Zu den juristischen Bedenken und Einwänden sowie zu den gegenteiligen Ansichten und Argumenten, die einen breiten Raum im Kommissionsbericht einnehmen: ebd., 16-19.

[20] Zitat in: ebd., 19.

[21] Das Fazit der juristischen Erörterung: „I sacerdoti della congregazione non hanno dunque diritto a reintegra, nè a rendiconto; epperò la legge proposta non è retroattiva nè spoliatrice di nessuno“ (ebd.).

zur Neuordnung des Asiatischen Kollegs von Neapel[22] wurde der Abgeordnetenkammer in der Sitzung vom 24. November 1888 vorgelegt. Dabei wurde ausdrücklich festgehalten, daß die erwähnten Reformmaßnahmen die Missionen keineswegs eliminierten und den Missionaren die Aufnahme in das Institut nicht verwehrt sei, nur könne man nicht verlangen, daß der moderne Staat als Propagator religiöser Missionen agiere, weil dies nicht in seinen Aufgabenbereich falle.[23] Seine Fürsorgepflicht bestehe lediglich darin, darauf zu achten, daß der kulturelle Vollzug und das religiöse Gefühl nicht zu Unrecht in Mitleidenschaft gezogen werden. Im übrigen werde das umzuwandelnde Institut in Wahrheit eine Schule schaffen, von der die Kleriker, die sich der Evangelisierung widmen oder sich für die klassischen Fächer qualifizieren wollten, enormen Nutzen haben würden.[24]

Der Gesetzentwurf zur beabsichtigen Neuordnung des Asiatischen Kollegs von Neapel hat folgenden Wortlaut:

> Artikel 1
> Die in Neapel existierende juristische Körperschaft mit dem Namen „Kolleg der Chinesen" wird von nun an den Titel tragen „Königliches Orientalisches Institut von Neapel", und es wird abhängen vom Ministerium für den öffentlichen Unterricht.
>
> Aufgabe des Instituts ist der praktische Unterricht in den lebenden Sprachen Asiens und Afrikas. Dieser Unterricht kann begleitet werden von einer Einführung in die gegenwärtigen und geschichtlichen Verhältnisse dieser Länder und ihre Beziehungen zu Europa, zumal zu Italien.
> Letztere Fächer können nur eingerichtet werden, wenn das Fach der Sprache dieser Länder bereits vertreten ist.
>
> Artikel 2
> Zugelassen zum Institut werden junge Italiener und Ausländer.
> Das Ministerium kann ein mit dem Institut verbundenes Kolleg gründen, in dem junge Menschen untergebracht werden aus Familien, die nicht in Neapel wohnen. Sie haben die Pension zu zahlen, die vom Ministerium festgelegt wird.
>
> Es können Stipendien eingerichtet werden, die nach einem Wettbewerb jungen Menschen zukommen, die nur über geringe Geldmittel verfügen.

---

22 Die ursprüngliche Fassung des Gesetzentwurfs von Unterrichtsministerium und Kommission findet sich zum Vergleichen mit der endgültigen Version in der Anlage als Dokumente 1 und 2 im vollen Wortlaut.

23 „La riforma non elimina le missioni, ed ai missionari non chiude le porte dell'Istituto. Ma non si può pretendere che lo Stato si faccia promotore di missioni religiose. Tale non è la funzione dello Stato moderno" (ebd., 20).

24 Ebd.

Artikel 3
Der Sprachunterricht muß von praktischen Übungen begleitet werden, bei denen den Professoren Personen zur Seite stehen, die in den Ländern, deren Sprache gelehrt wird, geboren sind oder gelebt haben.
Für die in Afrika oder Asien geborenen Jugendlichen, die andere Schuleinrichtungen in Neapel nutzen möchten, wird der Minister für das öffentliche Schulwesen besondere Normen bezüglich der Zulassung, Beförderung und des Examens erlassen.

Artikel 4
Die Professoren des Instituts werden hinsichtlich der Besoldung, der Titel und des akademischen Grades denen der Universität gleichgestellt.
Am Institut werden keine Fächer doziert, die an der Universität Neapels vertreten sind.

Die Ordnung des Instituts erfolgt nach Maßgabe der Einkünfte der juristischen Körperschaft.

Artikel 5
Ein Regelwerk, das mit königlichem Dekret sechs Monate nach Promulgation dieses Gesetzes zu publizieren ist, wird die Studienprogramme und die praktischen Lehrmethoden festlegen. Es wird auch Verwaltung und Leitung des Instituts ordnen, ebenso die Liste der zu errichtenden Lehrstühle, die Normen für die Ernennung der Professoren und Lehrbeauftragten, für die Zulassung der Alumnen, für die Verleihung von Preisen und Studienplätzen und allgemein für die Ausführung des vorliegenden Gesetzes und für die Weiterentwicklung des Instituts."[25]

Außer mit dem Gesetzentwurf mußte sich die Abgeordnetenkammer mit dem Projekt des anstelle des Asiatischen Kollegs zu errichtenden Orientalischen Instituts beschäftigen, seiner anvisierten Zielsetzung und den damit zusammenhängenden neuen Aufgaben, den Curricula, der Studien- und Prüfungsordnung, dem Lehrkörper und den Berufungsmodalitäten, den Zulassungsbedingungen zum Studium, der Bibliotheksausstattung, dem Einrichten einer Druckerei mit orientalischen Schrifttypen und eines Museums zur Didaktik für Gebrauchsgegenstände des täglichen Lebens der Menschen aus den verschiedensten Ländern Afrikas und Asiens, mit zeitgenössischen Exponaten ihrer Kunst, Warenproben der produzierenden Gewerbe sowie Rohstoffen von dort als didaktischem Anschauungsmaterial, überdies mit der Finanzierung und sonstigen damit in unmittelbarem Konnex stehenden Sachverhalten.[26]

---

[25] Die italienische Textvorlage in: Camera dei Deputati, Riordinamento del Collegio asiatico di Napoli (N. 88-B), 1-3.

[26] Camera dei Deputati, Relazione, 21.

Die Kommission hatte beim Erstellen dieser Darlegungen an die bereits seit 1879 durch die Dekrete von De Sanctis geschaffene Bildungseinrichtung anknüpfen können, ferner hatten ihr verschiedene hilfreiche Gutachten und Memoranden, aber auch eine Reihe von Petitionen, die sich energisch für den Status quo aussprachen, sowie Informationsmaterial von ähnlichen Einrichtungen im Ausland vorgelegen, die - abgesehen von Großbritannien und Rußland - zu den bedeutendsten in Europa gehörten: Unterlagen zur Organisation der Hochschule für das Studium der lebenden orientalischen Sprachen in Paris, Unterlagen zur Orientalischen Akademie in Wien sowie zu dem mit der Friedrich-Wilhelms-Universität in Berlin verbundenen Seminar für orientalische Sprachen.[27] Die an diesen Instituten Studierenden strebten entweder eine freie wissenschaftliche Forschungstätigkeit und eine Anstellung bei Handelsgesellschaften an oder sie bereiteten sich für verschiedene Aufgaben im staatlichen Bereich vor als Dolmetscher oder für den konsularischen und/oder den diplomatischen Dienst.

Nach diesen drei Vorbildern sollte das vorgesehene Institut in Neapel gestaltet werden, sofern das Parlament den Gesetzentwurf billigte. Die Kommission, die sich im klaren war, daß diese neu zu schaffende wissenschaftliche Einrichtung enorme Kosten verursachen werde, ihr Geschick jedoch nicht an den Finanzmitteln scheitern dürfe, etwa wegen der hohen wirtschaftlichen

[27] Ebd., 28-43. Zur Gründungsgeschichte des Seminars für orientalische Sprachen zu Berlin heißt es in einer Denkschrift vom 3. April 1886: „Bei der fortschreitenden Entwicklung unserer Beziehungen zu Asien und Afrika hat sich in Deutschland in neuerer Zeit ein vermehrtes Bedürfnis nach Erweiterung der Kenntnis der Sprachen des Orients und Ostasiens, und zwar sowohl im Interesse des Dolmetscherdienstes als auch für andere Berufszweige, dringend fühlbar gemacht. Es ist in Aussicht genommen, dasselbe nach Analogie der in Wien und Paris bestehenden orientalischen Sprachschulen durch eine ähnliche Einrichtung in Deutschland zu befriedigen und zu diesem Zweck bei der hiesigen Königlichen Friedrich-Wilhelms-Universität ein Seminar für Orientalische Sprachen in das Leben zu rufen … . Danach soll die Aufgabe des Seminars sich auf theoretische Vorträge und praktische Übungen in den lebenden sechs Hauptsprachen des Orients und Ostasiens (Türkisch, Arabisch, Persisch, Japanisch, Chinesisch und Indische Idiome) erstrecken. Für jede Sprache wird ein mit den Landesverhältnissen und der Landessprache vertrauter deutscher Lehrer bestellt und demselben ein aus den Eingeborenen des Landes entnommener Assistent beigegeben. Dabei wird, um die Frequenz des Seminars zu fördern, die Unentgeltlichkeit der Kurse als Regel aufgestellt und gleichzeitig die Errichtung von Stipendien in Aussicht genommen" (in: E. Sachau, *Denkschrift über das Seminar für Orientalische Sprachen*, 45). Die Kommission hat sich von derartigen Überlegungen, die ja ebenfalls mutatis mutandis auf Italien zutrafen, inspirieren lassen. Die speziell die Kommission interessierenden Teile des Berliner Seminars, die in ihrem Bericht abgedruckt worden sind (Camera dei Deputati, Relazione, 40-43), finden sich in ihrer ursprünglichen deutschen Fassung in der Anlage als Dokumente 4, 5, 6.

Verluste infolge der Agrarkrise[28] und der veränderten Höhe der Pachtzinsen, versprach sich von ihr einen vielfältigen, beträchtlichen Nutzen für die italienische Nation. Damit ihr Anfang gelingen könne und ihr Gedeihen gesichert werde, sei eine seriöse, intelligente und effiziente Administration unerläßliche Voraussetzung. Trotz des von mancher Seite geäußerten Verdachts, der Staat wolle sich auf diese Weise bequem in den Besitz des Asiatischen Kollegs bringen, plädierte die Kommission dafür, daß die neue Institution am alten Ort bleiben und, wie vom Unterrichtsminister Boselli vorgeschlagen, den Namen „Königliches Orientalisches Institut von Neapel" tragen solle.[29] Mit pathetischer Emphase schloß der Berichterstatter Florenzano seine Ausführungen:

> La legge che raccomandiamo ai vostri suffragi, modesta nelle apparenze, farà di una logora ed infeconda istituzione, una utile cooperatrice a questa nuova vita della nazione![30]

4.
Meinungs- und Entscheidungsbildungsprozeß innerhalb des Senats

Mit Bekanntwerden der beiden Gesetzesvorlagen, denen zufolge das Asiatische Kolleg von Neapel strukturell und rechtlich total umgewandelt werden sollte, wurden auf verschiedenen Ebenen wie auch von einzelnen Personen und unterschiedlichen Personengruppen intensive Anstrengungen unternommen, auf den Senat, dem bei diesem gesetzgebenden Verfahren die entscheidende Stimme zukam, massiv einzuwirken mit dem Ziel, ihn zu einer vom Unterrichtsministerium und der Abgeordnetenkammer abweichenden Meinung zugunsten des alten Kollegs zu bewegen.

In diesem Sinn richtete am 18. Januar 1888 der Titularerzbischof von Tyros und Sekretär der *Propaganda*-Kongregation, Domenico Jacobini,[31] im

---

[28] Italiens wirtschaftliche Lage hatte sich in den achtziger Jahren des 19. Jahrhunderts fundamental verändert, wozu insbesondere die forcierte Industrialisierung, die von den Regierungen nachhaltig unterstützt wurde, und die große Agrarkrise beitrugen. Die landwirtschaftlichen Gebiete waren – von einigen wenigen Ausnahmen abgesehen – strukturell sehr rückständig hinsichtlich der Organisation und Produktionsweise. Diese Zonen gerieten zu Beginn der 1880er Jahre in eine ausweglose Krise, weil sie in keiner Weise der Konkurrenz billigen nordamerikanischen Getreides gewachsen waren, das seitdem infolge des Ausbaus der Eisenbahnen in den USA und der transatlantischen Schiffsverbindungen in gewaltigen Mengen auf die europäischen Märkte strömte. Näheres zu diesem Sachverhalt: R. Lill, *Geschichte Italiens in der Neuzeit*, 218f.

[29] Camera dei Deputati, ebd., 21f.

[30] Ebd., 22.

[31] Domenico Jacobini (1837–1900) hatte am Seminarium Romanum studiert, wo er Professor des Griechischen wurde. Zunächst 1874 Sostituto dei Brevi, avancierte er 1879

Namen der Apostolischen Vikare Chinas und des Episkopats der türkischen Regionen eine Petition an den Präsidenten des Senats, in der er auf die große Bedeutung des von Matteo Ripa gegründeten Kollegs der Chinesen und seinen Erhalt für die Bittsteller hinwies. Diese hätten nun erfahren, daß dieses Institut für kirchliche Missionen und die von ihnen geförderte Kultur säkularisiert werden solle, und zwar dadurch, daß man es in ein Königliches Orientalisches Institut von Neapel umzuwandeln und diesem den gesamten Besitz zu überschreiben beabsichtige. Dieses Novum, das als Neuordnung des Instituts bezeichnet werde, komme in Wirklichkeit einer Zerstörung desselben gleich, weil man den Zweck verändere und die Güter gegen die Intention der Spender umgestalte. Dadurch verliere Italien ein wichtiges Instrument zur Verbreitung der italienischen Sprache in China und anderen Gebieten sowie die Sympathien als Gastland und seinen Einfluß im Ausland, indem es den Bittstellern alle unentgeltlichen Studienplätze, über die sie in diesem Institut verfügten, wegnehme. Die betreffenden Bischöfe hegten jedoch die feste Überzeugung, daß der Senat die Rechtmäßigkeit der angeblichen Neuordnung sorgfältig überprüfen werde. Wörtlich im Text weiter:

> Damit aber die erworbenen Rechte des Episkopats berücksichtigt werden, bitten sie, ihrem Gesuch zuzustimmen, so daß ihre Rechte wenigstens teilweise respektiert werden:
>
> daß das Haus mit Kirche und Garten, also der gegenwärtige Sitz des Kollegs, nicht umbestimmt wird, sondern, frei von Steuerlasten, dem bisherigen Gebrauch verbleibt. Aus Erfahrung weiß man, daß dieser Bereich der homogenste für die Chinesen in Italien ist.
>
> daß vom Ertrag des umgewandelten Besitztums eine Quote vorweggenommen wird, die den unentgeltlichen Studienplätzen zugunsten der genannten Regionen den früheren Verbindlichkeiten des Fonds gemäß entspricht.
>
> daß von dem Ertrag weiterhin eine entsprechende Quote reserviert wird, um die Ausgaben für das leitende und lehrende Personal zu decken.
>
> daß die Leitung des Kollegs für die Missionen ausschließlich in kirchlicher Verantwortung bleibt, d.h., daß sie Personen übertragen wird, die ausge-

zum Sekretär der Kongregation für die außerordentlichen Angelegenheiten und 1881 unter Erhebung zum Titularerzbischof von Tyros zum Sekretär der *Propaganda*-Kongregation. Diese kirchliche Behörde hatte im Zeitalter des Kolonialismus und besonders auch für die italienischen Kolonialaspirationen eine höchst politische Bedeutung. Man meint, daß Jacobini die *Propaganda* ebenfalls im Sinn Italiens und des Dreibunds anstelle des alten und gebrechlichen Präfekten dieser Behörde, des Kardinals Giovanni Simeoni, verwaltet habe. Zur Person und politischen Einstellung Jacobinis: Chr. Weber, *Quellen und Studien zur Kurie*, 167-169.

wählt sind von denjenigen, die die Befugnis zur Ausbildung von Priestern haben.[32]

Eine gewichtige Stimme im Chor der Petenten, die den Senat zugunsten des bestehenden Kollegs zu beeinflussen suchten und um Zustimmung für ihre Argumente warben, war die des prominenten Staatskirchenrechtlers, P. Raffaele De Martinis, der als Konsultor an der *Propaganda*-Kongregation Dienst tat.[33] Als gebürtiger Neapolitaner kannte er nicht nur die politischen wie kirchlichen Verhältnisse und die jeweiligen Konstellationen in seiner Heimatstadt im allgemeinen, sondern vor allem auch die Querelen um das von Matteo Ripa gegründete Kolleg der Chinesen aus eigener Anschauung bestens, war er doch persönlich in sie involviert. Im Auftrag des Papstes („ad nutum Sanctitatis Suae") hatte er nämlich das Institut visitiert und sich für dieses gegen die staatlichen Begehrlichkeiten vehement eingesetzt.[34]

In einem ausführlichen Memorandum[35] skizzierte er die Genese und Entwicklung des Kollegs, sein Grundanliegen und seine Zweckbestimmung,

---

32 Domenico Jacobini, Petizione dei Vicarii Apostolici della Cina e dell'Episcopato delle regioni turche, spedita al Senato pel Collegio dei Cinesi di Napoli, in: ASVat/ASS, Rubr. 280, fols. 229r+v. Dieser Petition sind zu einzelnen Artikeln des Gesetzentwurfs, den eine aus fünf Senatoren bestehende Kommission erstellt hatte, Amendements und Ergänzungen angefügt worden: „Emendamenti alla legge per L'Istituto Orientale" (ebd., fol. 230r). Ferner haben der Deputiertenkammer hinsichtlich des vorgeschlagenen Gesetzes zur Neuordnung des Asiatischen Kollegs von Neapel weitere Voten und Bittschriften vorgelegen, unter anderem: Ein Bittschreiben von drei Apostolischen Vikaren aus China, eine Petition von Bürgern aus Eboli, dem Geburtsort von Matteo Ripa, vom 15. März 1888 sowie eine Bittschrift der Afrikanischen Gesellschaft Italiens vom 31. März 1888. In ihnen wird aus unterschiedlichen Gründen für den Erhalt des bestehenden Kollegs plädiert, das allerdings, je nach der Interessenlage, entsprechende Akzentsetzungen erfahren sollte. So müßte etwa nach Ansicht der Afrikanischen Gesellschaft Italiens das Institut stärker auf die Bedürfnisse des Handels ausgerichtet werden und in dieser Richtung einen neuen Schwerpunkt erhalten, wobei das Kolleg der Chinesen durchaus unverändert bestehen bleiben könnte (Camera dei Deputati, Relazione, 45-47).

33 Raffaele De Martinis CM, am 1. Mai 1829 in Neapel geboren und dort am 14. Februar 1900 verstorben, ist 1896 zum Titularerzbischof von Laodizea ernannt worden. Autor zahlreicher wissenschaftlicher Studien, hat er die „Kongregation der Hl. Familie Jesu Christi" in juristischen Fragen beraten und ihr Rechtsbeistand geleistet.

34 Über die Ergebnisse seiner Visitation liegt eine Publikation vor: *Documenti relativi al Collegio Cinese di Napoli raccolti per cura del Convisitatore Apostolico Raffaele De Martinis (1861–1881)*, Napoli 1881. Insofern war er über die gesamte Angelegenheit bestens im Bild.

35 R. De Martinis, *Memorandum al Senato Italiano*; ein Exemplar, das De Martinis am 13. Dezember 1888 Kardinal-Staatssekretär Rampolla als „prima copia" hat zukommen lassen, in: ASVat/ASS, anno 1889, Rubr. 280: Collegio dei Cinesi di Napoli. Die

ferner rekapitulierte er die einzelnen Etappen des Disputs zwischen den Kontrahenten, zeigte die unterschiedlichen Standpunkte auf mit den in Konnex stehenden konkreten Optionen, setzte sich mit dem Kommissionsbericht sowie mit dem zwischen Unterrichtsministerium und Kommission vereinbarten Gesetzentwurf kritisch auseinander, wies auf das Fehlverhalten der Exekutive hin und legte in einer breiten inhaltlichen Diskussion detailliert die Gründe dar, die für seinen Erhalt sprachen. Eindringlich und mit allem Nachdruck appellierte er an die hohe Verantwortung der Senatoren bei diesem Gesetzesvorhaben. Die Gerechtigkeit dürfe nicht auf der Strecke bleiben und geltendes Recht nicht verletzt werden. Wörtlich heißt es dazu:

> Die Notwendigkeit dieses Senatsbeschlusses ist die einzige Bürgschaft [*palladio*] für Gerechtigkeit, Freiheit und Eigentum, die durch dieses Gesetz in unserem Land gefährdet sind. Der Senat ist die Instanz, die dem Gebot [*imperativo*] der getroffenen Entscheidung und der Würde der Staatsmacht, die entschieden hat, Geltung verschaffen muß. Das Land vertraut auf den unabhängigen Patriotismus des Senats, der dafür eintritt, daß alle Gruppen [*ciascuna parte*] von der Staatsmacht in der Entfaltung ihrer Tätigkeiten respektiert werden, ohne daß sie sich dem Ansinnen der anderen unterwirft. In seinem Sinn für Unparteilichkeit und Gerechtigkeit weiß der Senat Ausschreitungen, die die Rechte Dritter verletzen, zu zügeln; in seiner Klugheit versteht er es, im Gesetz das wahre Motiv vom scheinbaren zu unterscheiden und letzteres, wie ihm gebührt, zu beurteilen. Der Senat entscheidet in seiner Weisheit [*sapienzia*] im wahren Interesse der Nation, einzige Norm der Gesetze der Völker, die nach Unparteilichkeit und Gerechtigkeit regiert werden. In der Wahrheit läßt er die Gerechtigkeit triumphieren ... . Die Neuordnung des Kollegs der Chinesen, das legal zugelassen und für die Nation nützlich ist, muß in Übereinstimmung mit dem in den Stiftungsakten angegebenen Zweck und entsprechend den zeitgemäßen und nationalen Erfordernissen durchgeführt werden.

De Martinis beließ es nicht bei seinem Appell an den Senat, sich seiner hohen Gewissensverantwortung bewußt zu sein, vielmehr unterbreitete er ihm konkrete Vorschläge, wie das Ripa-Kolleg bei Berücksichtigung der ihm geschuldeten Gerechtigkeit, der nationalen Interessen und der gegenwärtigen Situation zeitgemäß aktualisiert wie zielorientiert realisiert werden könnte. Falls man dennoch die Errichtung einer umfassenderen Sprachschule für das Land als notwendig und nützlich erachte, dann sei der Erhalt des Kollegs der Chinesen nicht weniger unentbehrlich,

> vorausgesetzt, daß es nach dem von uns vorgelegten Plan gestaltet wird. Italien ist ein Land, das die eine wie die andere Institution besitzen kann

---

Denkschrift ist als Dokument 3 in der Anlage zur Gänze in deutscher Übersetzung wiedergegeben.

> und soll. Das Ripa-Institut verfügt über die nötigen Mittel, man muß es nur entwickeln, ihm Impulse zur freien Entfaltung geben, es aus der Hand derer befreien, die es aus Bequemlichkeit und Inkompetenz verkommen lassen, überdies aus niederen Motiven an seinem Besitz nagen. Zunächst sollte man das verbessern, was vorhanden ist, und dann neu schaffen, was noch fehlt … . Das Königliche Institut und das Kolleg der Chinesen stehen nicht im Gegensatz zueinander, sie können in ihren unterschiedlichen Ausrichtungen dem Wohl der Nation dienen, die beide unterstützen sollte. Anders zu handeln wäre antiliberal, ungerecht und antinational.

Trotz der von De Martinis ins Feld geführten Gründe sowie des aus seiner Sicht evidenten und stringenten Duktus der Argumentation blieb dem Memorandum der Erfolg versagt. Denn der Senat hatte sich davon nicht beeindrucken lassen: weder sprach er sich gegen die projektierte Neuordnung des Asiatischen Kollegs von Neapel aus, noch nahm er Teilkorrekturen oder gar eine Gesamtrevision des zur Diskussion und Entscheidung anstehenden Gesetzentwurfs vor. Im Gegenteil, er ließ von einer aus fünf Senatoren bestehenden Kommission einen eigenen Gesetzentwurf erstellen. Bei realistischer Einschätzung der Angelegenheit und nach der Vorgeschichte wie auch angesichts der mittlerweile eingetretenen Entwicklung und allgemeinen Stimmungslage war es illusorisch anzunehmen, daß der Senat sich gegen die vorherrschenden Tendenzen stellen würde.

In der Konferenz vom 28. November 1888 beriet die zentrale Senatskommission über die zwischen der Deputiertenkammer und dem Unterrichtsministerium in Kongruenz gebrachte Gesetzesvorlage, die entsprechend des weitergegangenen Diskurses über die vorgesehene Umwandlung des Asiatischen Kollegs von Neapel gründlich revidiert und in Details substantiell ergänzt worden war.[36] Das Fazit der Besprechung war ihr einmütiger Beschluß, diesen Gesetzentwurf uneingeschränkt anzunehmen.[37] In der Plenarsitzung des Senats vom 7. Dezember 1888 erläuterte der Berichterstatter L. Ferraris die einzelnen Artikel, die er jeweils inhaltlich näher begründete.[38]

---

[36] Senato del Regno. Progetto di legge (N. 137): Riordinamento del Collegio Asiatico di Napoli, in: *Atti Parlamentari – Senato del Regno (N. 137)*. In dieser Sitzung hatte Unterrichtsminister Paolo Boselli den Gesetzentwurf vorgestellt und seine Ausführungen mit den Worten beendet: „Nach diesen Erläuterungen und nach allem, was in den Berichten des Ministeriums und der Kommission vor der Kammer dargelegt worden ist, bin ich der festen Überzeugung, daß ebenfalls der Senat die wichtige und dringliche Notwendigkeit dieses Gesetzentwurfs erkennt und ihn deshalb seiner vollen Approbation für würdig befindet“ (ebd., 4).

[37] Senato del Regno, Relazione dell'Ufficio Centrale sul progetto di legge presentato dal Ministro dell'Istruzione Pubblica nella tornata del 28 November 1888: Riordinamento del Collegio Asiatico di Napoli (N. 137-A), in: ebd., 1.

[38] Ebd., 1-4.

Seine Darlegungen schloß er mit dem Hinweis, daß das Zentralamt des Senats geschlossen beabsichtige, den Gesetzentwurf in seiner jetzigen Fassung dem Plenum zur Approbation vorzulegen. Nach der anschließenden Aussprache votierte die Mehrheit der Senatoren für die Annahme der Gesetzesvorlage, die, von König Umberto I. sanktioniert, am 27. Dezember 1888 als Gesetz promulgiert wurde.[39] Das Gesetz lautet folgendermaßen:

> Artikel 1
> Die unter dem Namen „Kolleg der Chinesen" in Neapel existierende juristische Person wird von nun an den Titel „Königliches Orientalisches Institut von Neapel" tragen und vom Unterrichtsministerium abhängen.
>
> Zielsetzung (*oggetto*) des Instituts ist der praktische Unterricht der lebenden Sprachen Asiens und Afrikas; dieser kann begleitet (*accompagnato*) werden

---

[39] Der italienische Text des Gesetzes über die „Costituzione dell'Istituto Orientale" in: G. Nardi, *Cinesi a Napoli*, 634-636. In Artikel 8 ist dem Gesetzentwurf, den Biancheri präsentiert hatte, folgender Schlußsatz angefügt worden: „Wir bestimmen, daß dieses Dokument mit dem Staatssiegel versehen und in die offizielle Sammlung der Gesetze und Dekrete des Königreichs Italien aufgenommen wird. Jeder ist gehalten, dieses Dokument als Staatsgesetz zu respektieren und zu beachten." Mit dem Dekret des Unterrichtsministers Boselli vom 20. Juni 1889 ist das Reglement des Königlichen Orientalischen Instituts von Neapel - unterteilt in 11 Titel und 60 Artikel - approbiert worden. Die Titel lauten wie folgt: I. Ziel des Instituts. Unterrichtsstoff - II. Schuljahr. Kurse und Unterrichtsmethoden - III. Schüler, Hörer, Zulassungen, Lehrfach, Examina, Diplome - IV. Leitung und Lehrpersonal - V. Verwaltungsrat und Verwaltungspersonal - VI. Vorstand - VII. Verpachtung und Veräußerung materieller Güter - VIII. Bibliothek, Museum - IX. Kolleg-Konvikt - X. Zuweisung (l'assegnamento) an die Priester und Laien der Kongregation der Heiligen Familie - XI. Vorläufige Normen. Im Hinblick auf das alte, bereits aufgelöste Chinesische Kolleg sind einige Artikel hervorzuheben:

Artikel 54: Das dem alten Chinesischen Kolleg angegliederte Orientalische Museum wird vom Direktor des Instituts weiter verwaltet und mit Gegenständen seiner speziellen Ausrichtung angereichert, die ihm eventuell gestiftet werden.

Artikel 57: Die jedem der Kongregation der Hl. Familie angehörenden Priester und Laien gemäß Artikel 7 des Gesetzes gewährte Besoldung endet mit dem Tag, an dem jeder einzelne von diesen Unterkunft und Bewirtung im Institut verliert.

Artikel 58: Die Lehrenden orientalischer Sprachen in der Schule für Laien, die bisher an das alte Chinesische Kolleg angegliedert war, behalten vorübergehend ihren Posten, falls sie noch keine bezahlte Anstellung an der Universität oder in einem anderen Institut erhalten haben und der von ihnen erteilte Unterricht nicht denen gilt, die bereits an der Universität von Neapel studieren, damit die Studenten, die ihre Lehrveranstaltungen besuchen, ihren begonnenen Sprachkurs zu Ende führen können.

Ihre vorübergehende Beauftragung erlischt, wenn für die o. g. Stellen eine normale Besetzung gemäß Artikel 2 dieser Ordnung vorgesehen wird (Textauszug bei: G. Nardi, *Cinesi a Napoli*, 636).

von anderen Fächern, die sich mit den gegenwärtigen und historischen Gegebenheiten dieser Länder und deren Beziehungen zu Europa und vor allem zu Italien befassen.

Diese letzteren Fächer werden nur dann gegeben, wenn auch die entsprechende Sprache gelehrt wird.

Artikel 2
In das Institut werden italienische und ausländische Studenten aufgenommen. Das Ministerium kann ein dem Institut angegliedertes Konvikt gründen, in dem Jugendliche aus nicht in Neapel wohnenden Familien gegen Bezahlung einer vom Ministerium festgesetzten Pension untergebracht werden.

Es können Studienstipendien vorgesehen werden, die bedürftigen Studenten mittels eines Wettbewerbs zugute kommen.

Artikel 3
Der theoretische Sprachunterricht muß von praktischen Übungen begleitet werden. Dabei sollen den Professoren Mitarbeiter zur Seite stehen, die in jenen Ländern geboren sind oder gelebt haben, deren Sprache doziert wird.

Für die einheimischen Jugendlichen Afrikas oder Asiens, die von anderen Lehranstalten in Neapel profitieren wollen, soll der Unterrichtsminister besondere Normen für die Zulassung, die Beförderung und die Examina erlassen.

Artikel 4
Die Professoren des Instituts sind in bezug auf ihr Gehalt den Professoren der Universität gleichgestellt.

Im Institut werden keine Fächer gegeben, die bereits an der Universität Neapel vorhanden sind.

Die Ausstattung (*ordinamento*) des Instituts wird vervollständigt nach Maßgabe der Einkünfte der juristischen Körperschaft.

Artikel 5
Innerhalb von sechs Monaten nach der Promulgation des vorliegenden Gesetzes soll eine durch königliches Dekret veröffentlichte Schulordnung die Studienprogramme und die praktischen Unterrichtsmethoden festlegen sowie Anordnungen treffen, die die Verwaltung und Leitung des Instituts, die Liste der zu errichtenden Lehrstühle, die Ernennung der Professoren und Angestellten, die Zulassung der Alumnen, die Vergabe der Prämien und Studienplätze und, ganz allgemein, die Durchführung dieses Gesetzes und die Weiterentwicklung des Instituts regeln.

Artikel 6
Alle Güter des ehemaligen Kollegs der Chinesen werden, woher sie auch stammen, bis zur Promulgation dieses Gesetzes vom Unterrichtsministerium stufenweise liquidiert und in italienische Staatsschuldverschreibungen umge-

wandelt, die auf den Namen des Instituts einzutragen sind. Desgleichen werden dem Institut alle anderen Vermögenseinkünfte gutgeschrieben, die ihm weiterhin legal zukommen.

Das Institut darf in finanzieller Hinsicht keiner anderen Lehranstalt oder wissenschaftlichen Körperschaft unterstellt oder angegliedert werden.

Artikel 7
Die Kongregation mit dem Namen „Sacra Famiglia di Gesù Cristo" wird nicht anerkannt.

Allen Priestern und Laien, die ordnungsgemäße Gelübde abgelegt haben und wenigstens seit dem 1. Januar 1886 Mitglieder der Kongregation sind, wird eine jährliche Rente gemäß Nr. 1 und 2 von Artikel 3 des Gesetzes vom 7. Juli 1866, Nr. 3036, gewährt.

Wird einer dieser Priester oder Laien im Institut angestellt, ersetzt das Gehalt die obengenannte Pension; erhält er eine Anstellung, die zu Lasten der Gemeinde-, Provinz- oder Staatskasse geht oder aus dem Fonds für den Kultus bezahlt wird, oder auch, wenn er ein kirchliches Benefizium oder eine Zuweisung (*assegno*) für die Ausübung von religiösen Kulthandlungen bekommt, wird die Pension um die Hälfte der neuen Einkünfte und dies für die gesamte Dauer der Beschäftigung verringert.

Artikel 8
Der Unterrichtsminister präsentiert jedes Jahr zusammen mit dem Etat seines Ministeriums auch den Etat des Orientalischen Instituts von Neapel.

Der Präsident der Abgeordnetenkammer
G. Biancheri

Viertes Kapitel
Reaktionen auf das Gesetz zur Etablierung des Orientalischen Instituts in Neapel

1.
Rundschreiben des Kardinal-Staatssekretärs Rampolla

Bis zuletzt hatte man in Vatikankreisen gehofft, daß dem Memorandum von Raffaele De Martinis ein Erfolg beschieden sein würde. Nachdem jedoch das Gesetz mit Datum vom 27. Dezember 1888 publiziert worden war, verfaßte Kardinal-Staatssekretär Rampolla auf der Grundlage der Denkschrift von De Martinis ein für die Apostolischen Nuntien in Brüssel, Madrid, München, Paris und Wien sowie für den Internuntius in Den Haag bestimmtes Zirkular,[1] in dem er sie über diesen Vorgang in Kenntnis setzte.

Im Rundschreiben werden die Gründungsgeschichte des Kollegs der Chinesen von Neapel in ihren einzelnen Etappen rekapituliert, ebenfalls seine ursprüngliche Zweckbestimmung und die im Lauf der Zeit gegen diese Einrichtung von staatlicher Seite unternommenen repressiven Maßnahmen sowie die letztlich vergeblichen Bemühungen der Kongregation der Hl. Familie Jesu Christi, vor Gericht ihr legitimes Recht zu verteidigen. Denn durch das nun vorliegende Gesetz habe man

> das Kolleg von einem Missionsinstitut in ein Institut zur praktischen Erlernung der lebenden Sprachen Asiens und Afrikas umgewandelt, die Kongregation der Hl. Familie aufgelöst, dem neuen Institut den Besitz des aufgelösten zuerkannt und die Immobilien in diese Transformation miteinbezogen.

Dies stelle einen ungeheuerlichen Vorgang und ein eklatantes Unrecht dar, weil die neue Körperschaft in ihrer Zielsetzung und Leitung im Widerspruch zum ausdrücklichen Willen des Gründers stehe. Wörtlich heißt es weiter:

> Das Prinzip, daß Gesetze zum Schutz der Rechte der Bürger gemacht werden müssen, konnte nicht offensichtlicher mißachtet und mit Füßen getreten werden. Und überdies, dieser Coup gegen das Kolleg der Chinesen und gegen die Kongregation der Hl. Familie trifft auch andere. Er ist auch gegen die katholische Kirche gerichtet und verletzt sie, deren Religion der Verfassung des Königreichs zufolge Staatsreligion ist. Auf diese Weise

---

[1] Die archivalischen Angaben zum Rundschreiben des Kardinal-Staatssekretärs Rampolla in Kapitel 3, Anm. 12; zu diesem Vorgang siehe auch: ebd., Anm. 35.

> verliert die Kirche wertvolle Verkünder und Apostel ihres Glaubens. Er trifft die Propaganda-Kongregation, der ein ihr zugehöriges Institut genommen wird, in dem mehrere ihrer Alumnen betreut worden sind. Er trifft und schädigt schließlich die Nachfolger derjenigen, die die Finanzmittel für die Errichtung und den Unterhalt der Anstalt bereitgestellt hatten. Sie können zu Recht verlangen, daß die vorhandenen Besitztümer ihren Eignern zurückerstattet werden, falls sie ihren ursprünglichen Zwecken nicht mehr dienen.

Die italienische Regierung habe sich zu rechtfertigen gesucht mit dem Hinweis, daß der Kassationshof in Rom selbst die Vorlage eines Gesetzentwurfs angeregt hätte, als er erklärte, daß, falls das Allgemeinwohl die Umwandlung oder die totale Abschaffung eines Objekts verlange, die Exekutive verpflichtet sei, das Gesetz als ultimative Maßnahme in Anspruch zu nehmen. Und dies habe die Regierung im Namen der Souveränität getan. Außerdem habe man behauptet, daß seit Errichtung des Kollegs nicht mehr als 106 Alumnen ausgebildet worden seien, und dies trotz eines Aufwands, der bei Berücksichtigung sämtlicher Einkünfte zwanzig Millionen Lire ausmachte. Deshalb habe das Allgemeinwohl die Umwandlung notwendig gemacht.

Indessen war es Rampollas Meinung zufolge unangebracht, sich in diesem konkreten Fall auf die Aussagen des Kassationshofs zu berufen. Denn eine per se verwerfliche Maßnahme habe zu existieren nicht aufgehört, weil sie von einem Dritten suggeriert worden sei. Um die Beschwerden des Hl. Stuhls als zutreffend zu erweisen, genüge die Feststellung, daß der Unterrichtsminister bis zur Promulgation des nun vorliegenden Gesetzes laut Urteil des Gerichtshofs unrechtmäßig gehandelt habe. Auch das Sich-Berufen auf das Hoheitsrecht treffe keineswegs den Tatbestand; impliziere nämlich eine Maßnahme eine Ungerechtigkeit, dann werde sie dadurch dupliziert, daß die höchste Macht sie usurpatorisch ausführe, der es doch pflichtgemäß obliege, Unrecht abzuwehren und für den Schutz des Schwächeren Sorge zu tragen.

Auch lasse sich das Vorgehen der Regierung nicht mit dem Vorwand des Allgemeinwohls rechtfertigen. Denn wenn eine physische oder juristische Person dem Staat keinen Schaden zufüge, könne man sie nicht unter Berufung auf einen materiellen Vorteil, der daraus dem Allgemeinwohl zugute komme, ihres Besitzes berauben oder ihre Personalität vernichten. Darüber hinaus sei es äußerst befremdlich, daß, obwohl die katholische Religion als Staatsreligion in der Verfassung des Königreichs verankert sei, man es dennoch wage, das *bonum commune* als Scheingrund vorzutäuschen, während die Interessen der Religion und der christlichen Kultur um philologischer Vorteile willen hintangesetzt würden.

Seine Darlegungen schloß der Kardinal-Staatssekretär mit der Aufforderung an die jeweiligen Adressaten, daß sie dem Wunsch des Papstes gemäß die Regierungen, bei denen sie akkreditiert waren, über die geschilderte Angelegenheit in geeigneter Weise informieren sollen, damit „diese die Art des Vorgehens derer, die in der italienischen Regierung das Sagen haben, richtig beurteilen und entsprechend qualifizieren" können.

In ihren Antworten auf das Rundschreiben berichteten die päpstlichen Diplomaten dem Kardinal-Staatssekretär, den Auftrag weisungsgemäß ausgeführt zu haben.[2] Ihren Rückmeldungen zufolge hatten es die jeweiligen Minister in der Regel beim Bedauern über das ungerechte Vorgehen und den schwerwiegenden, neuerlichen Angriff gegen die Religion und den Hl. Stuhl sowie über den Mangel an Redlichkeit der italienischen Regierung belassen. Keiner von ihnen hatte sich diesbezüglich in irgendeiner Weise verbindlich festgelegt oder gar die Absicht bekundet, deswegen in Rom vorstellig zu werden. Sie waren nicht gewillt, sich in die inneren Angelegenheiten des Königreichs Italien einzumischen.

Der französische Minister der auswärtigen Angelegenheiten, René Goblet (1828–1905), nahm am 16. Januar 1889 in der Audienz mit dem Apostolischen Nuntius Luigi Rotelli (1833–1891) zu diesem Sachverhalt inhaltlich etwas konkreter Stellung. Er bekundete ebenfalls, auch im Namen seiner Regierung, „sein tiefes Bedauern über diese neue Feindseligkeit der Regierung Italiens dem Hl. Vater gegenüber". Goblet fügte allerdings hinzu, „daß die zur Zeit bestehende Spannung zwischen den beiden Regierungen es ihm nicht erlaube, irgendeine Maßnahme in dieser Angelegenheit zu ergreifen. Auch vom internationalen Recht begründete er die Zurückhaltung, die ihm in derartigen Fällen auferlegt sei."[3]

2.
Die Reaktion der bayerischen Regierung

Beim Gesandtenempfang am 17. Januar 1889 hatte der mit der interimistischen Leitung der Nuntiatur in München betraute Uditore Msgr. Giovanni Battista Guidi (1852–1904) dem Staatsminister des königlich bayerischen Hauses und des Äußeren, Christoph Krafft Freiherr von Crailsheim (1841–1926), den Zirkularerlaß des Kardinal-Staatssekretärs zur Kenntnisnahme übergeben.[4]

---

[2] Die Antwortschreiben, von denen die ersten drei vom 17. Januar und die beiden letzten vom 20. Januar bzw. vom 5. Februar 1889 der Nuntien aus Wien bzw. Madrid datieren, finden sich in: ASVat/ASS, anno 1889, Rubr. 280, fols. 219r–237v.

[3] Luigi Rotelli an Kardinal Rampolla, Paris, den 17. Januar 1889, in: ebd., fols. 219r+v.

[4] Aktennotiz Crailsheims vom 17. Januar 1889, in: Bayerisches Hauptstaatsarchiv, München (= BayHStA), MA 818: Das italienische Gesetz über die Umwandlung des Chinesischen Kollegiums in Neapel in ein orientalisches Institut (1889).

Crailsheim rekapitulierte im Erlaß vom 20. Januar 1889 an den bayerischen Gesandten Klemens Freiherr von Podewils-Dürnitz (1850–1922) beim italienischen Hof in Rom den Inhalt des Rundschreibens und informierte ihn darüber, daß die Kurie wegen des besagten Gesetzes Beschwerde bei den katholischen Regierungen führe.[5] Wörtlich merkte er weiter an:

> Obwohl ich nicht im Zweifel bin, daß es sich hier um einen der Einflußnahme der anderen Staaten entrückten Akt der inneren Gesetzgebung des Königreiches Italien handelt, würde ich doch, da ich die tatsächliche Richtigkeit der vatikanischen Darstellung von hier aus nicht zu kontrollieren vermag, Wert darauf legen, über den in Frage stehenden Vorgang und die Beurteilung, welche derselbe in nicht-vatikanischen italienischen Kreisen findet, einiges Nähere zu erfahren.

Darum wies er den Gesandten an, diesbezüglich „ganz vertrauliche Erkundigung einzuziehen" und ihm das Ergebnis mitzuteilen. Falls es ihm möglich sei, „sich in unauffälliger Weise die bezüglichen Drucksachen des gesetzgebenden Körpers zu verschaffen", sollte er diese seinem Bericht beilegen. Weil Crailsheim damit rechnete, daß der päpstliche Geschäftsträger „vielleicht in kurzer Zeit auf den Gegenstand" zu sprechen komme, wünschte er einen baldigen Bericht.

In großer Eile bemühte sich der Gesandte, den erhaltenen Auftrag auszuführen. Ihm gelang es, von einem Abgeordneten und dem Referenten des Kommissionsberichts, dem Advokaten Florenzano, drei einschlägige Drucksachen der Abgeordnetenkammer und des Senats[6] zu erhalten, die er umgehend nach München expedieren ließ und die dort laut Präsentatum bereits am 26. Januar 1889 vorlagen.[7]

Im Nachgang zu seinem Bericht vom 23. Januar kam Podewils zwei Tage später auf die Angelegenheit ausführlicher zu sprechen,[8] wobei er vorab anmerkte, „nach sorgfältiger Erkundigung" sich außerstande zu sehen, „mehr und besseres Material zu unterbreiten" als das Eingereichte. Wie ihm allseitig bestätigt worden sei, werde darin die Geschichte des Instituts von seiner Gründung durch Matteo Ripa bis auf den heutigen Tag, „die tatsächlichen

---

5 Crailsheim an Podewils-Dürnitz, München, den 20. Januar 1889, in: BayHStA. Bayerische Gesandtschaft. Italien 3384: Die Umwandlung des kirchlichen Chinesischen Kollegiums in Neapel in eine weltliche Anstalt für orientalische und afrikanische Sprachen (1889).

6 Diese Drucksachen liegen vorliegender Studie zugrunde und sind in ihr ausgewertet worden.

7 Podewils an das Staatsministerium des königlichen Hauses und des Äußeren, Rom, den 23. Januar 1889, in: BayHStA, MA 818.

8 Ders. an dass., Rom, den 25. Januar 1889, in: ebd.

Verhältnisse und die Rechtsfrage ... erschöpfend" und „in objektiver Weise behandelt". Insbesondere lasse sich daraus beurteilen,

> wie die italienische Regierung dazu kam, trotz des gegen sie gefällten Urteils des Appellationshofes von Neapel vom 21. Dezember 1885 und nach der Erkenntnis des Römischen Kassationshofes vom 9. Juli 1887 mit der längst beabsichtigten Gesetzesvorlage vorzugehen.

Denn nachdem rechtlich geklärt worden sei, daß der Regierung auf öffentliche Stiftungen „eine unbegrenzte Einwirkung zustehe", sie über ein gleiches Recht bezüglich der Privatstiftungen nicht verfüge, und die Transformation einer Privatstiftung nur auf dem Gesetzesweg erfolgen könne, habe die Exekutive sich entschieden, diese für nötig erachtete Umwandlung durch das Parlament mittels Gesetz vorzunehmen. Daraufhin sei in der Sitzung vom 17. Dezember 1887 die Vorlage des Gesetzentwurfs erfolgt, der in der Sitzung vom 26. November vorigen Jahres mit großer Majorität angenommen worden sei.

Zur Beurteilung des Vorgangs um das neue Gesetz konstatierte Podewils, „daß in den vatikanischen wie nicht-vatikanischen Kreisen der Sache ungemein wenig Bedeutung beigelegt" worden sei. Dieser Eindruck habe sich ihm auch neuerdings bei seinen Besprechungen bestätigt. Im Bericht heißt es wörtlich weiter:

> Von dem Erlasse eines päpstlichen Rundschreibens weiß man, wie ich mich selbstverständlich in vorsichtiger Weise hiervon überzeugte, teilweise wenigstens, auch im schwarzen Lager nichts, und ein in allen internen Verhältnissen vorzüglich bewanderter Gewährsmann, ein ehemaliger Deputierter, ... der rege Beziehungen zu den vatikanischen Kreisen unterhält, hat mir, als ich von der neu aufkeimenden Streitfrage wegen der Opere pie sprechend bemerkte, die Kurie werde wohl hieraus Anlaß zu einer neuen Beschwerde bei den katholischen Regierungen nehmen und dann noch ganz nebensächlich beifügte, es wundere mich, daß nicht schon über die unlängst erfolgte Umwandlung des Asiatischen Kollegs mehr Lärm gemacht worden sei, erwidert, diese letztere Sache sei zu unbedeutend und gebe faktisch wie rechtlich zu wenig und jedenfalls weit geringeren Grund zur Klage als hundert andere Anlässe.

Bezüglich des im Bericht der Kommission der Deputiertenkammer in Abrede gestellten exklusiv geistlichen Charakters des Kollegs bemerkte der Gesandte, seine Gesprächspartner – darunter habe sich auch ein Historiker befunden, der sich „speziell mit der modernen Geschichte des Kampfes zwischen Staat und Kirche in Italien" beschäftige –, hätten ihm gesagt,

> daß ihres Wissens und ihrer persönlichen Erinnerung nach, das Kolleg immer als Laienanstalt gegolten und geschienen habe. Die jungen Chinesen, die in demselben erzogen wurden, seien mehr als kuriose Paradestücke gezeigt, denn zu ernstlichem Berufe verwendet worden. Die meisten dersel-

> ben hätten es vorgezogen, nach Vollendung ihrer Studien in Italien zu verbleiben oder nach längst zivilisierten Gebieten zu gehen.[9]

Podewils schloß die Berichterstattung mit der Äußerung einer seiner Kontaktpersonen, wonach es bedauerlich sei,

> daß die neue Maßregel der Regierungsgewalt sich als ein Ausläufer der Säkularisation darstelle, wie denn überhaupt alles bedauerlich erscheine, was dem Streite zwischen Papsttum und dem Staate neue Nahrung zuführe. Aber es sei doch fraglich, ob für diese Nahrungszufuhr von vatikanischer Seite, namentlich seit dort der Einfluß Frankreichs und seines hiesigen Botschafters so sehr prävaliere, nicht weit beflissener gesorgt würde.

Wie aus Crailsheims Entschließungsschreiben vom 9. Februar 1889 an den bayerischen Gesandten beim Päpstlichen Stuhl, Anton Freiherrn von Cetto (1835–1906), hervorgeht, hatte Podewils ihn umfassend und erschöpfend über diesen Vorgang um die Umwandlung des Asiatischen Kollegs in ein Orientalisches Institut informiert.[10] Wie alle anderen zahlreichen Beschwerden des Hl. Stuhls habe er, wie er Cetto wissen ließ, diese

> mit freundlichem Interesse entgegengenommen, eines näheren Eingehens aber in die zur Sprache gebrachte Angelegenheit … [sich] um so mehr enthalten zu dürfen geglaubt, als das Rundschreiben des Kardinal-Staatssekretärs den päpstlichen Vertreter in keiner Weise beauftragt hat, eine Erklärung der königlichen Regierung zu provozieren.

Daher habe er sich im wesentlichen darauf beschränkt, Msgr. Guidi anzudeuten, daß es ihm nicht möglich sei, dem im Rundschreiben behandelten Vor-

---

[9] Hierbei handelt es sich um eine Falschaussage. Wie nämlich die sorgfältig erarbeitete Statistik belegt, sind die meisten Chinesen wieder in ihre Heimat zurückgekehrt (G. Nardi, *Cinesi a Napoli*, 574-581; siehe hierzu ebenfalls: J. Kuo, *Elenchus Alumnorum, Decreta et Documenta quae spectant ad Collegium Sacrae Familiae Neapolis*). Eine große Zahl der Absolventen des Kollegs arbeitete in den Vikariaten Shansi und Shensi, die direkt und allein der *Propaganda*-Kongregation unterstanden und von ihr unterhalten wurden, unter Ausschaltung jeden Patronats und jeglicher nationaler Interessen. In diesen Vikariaten waren die chinesischen Priester, die in Neapel ihre Ausbildung erhalten hatten, „stets zahlenmäßig stärker als die europäischen Missionare; sie taten ihr Bestes für die Ausbreitung des Glaubens und die Rettung der Seelen ihrer Landsleute in dieser Mission“ (G.K. Pflaum [Bearb.], *Nathanael Burger und die Mission von Shansi und Shensi 1765–1780*, 47).

[10] Crailsheim an Cetto, München, den 9. Februar 1889, in: BayHStA, Bayerische Gesandtschaft. Päpstlicher Stuhl 1712: Die Umwandlung des Chinesischen Kollegs in Neapel aus einem Missionsinstitut in eine Anstalt zur Erlernung der asiatischen und afrikanischen Sprachen durch die italienische Regierung (1889); zum gleichen Sachverhalt: Crailsheim an Podewils, München, den 9. Februar 1889, in: ebd., Bayerische Gesandtschaft. Italien 3384.

gang „eine so große Erheblichkeit beizumessen“, und daß ihm „auch der internationale Charakter der Angelegenheit als zweifelhaft erscheine“.

Vorstehende Mitteilungen verfolgten den Zweck, den Gesandten über die Position seiner Regierung in dieser Sache zu informieren „behufs der eventuellen gleichmäßigen Haltung“. Damit war die Angelegenheit auch für die bayerische Staatsregierung erledigt; der Vorgang wurde *ad acta* gelegt.

Epilog

Zwei Tage nach der Veröffentlichung des Gesetzes vom 27. Dezember 1888 war in der neapolitanischen Tageszeitung *La Libertà cattolica* zu lesen:

> Die italienische Regierung hat also ... in Neapel das historische und weltbekannte Kolleg der Chinesen geopfert! Die gottlosen Freimaurer haben vor Freude gejubelt, denn endlich ist ihr bösartiger Plan verwirklicht worden. Unsere Stadt hat eines ihrer schönsten katholischen Werke verloren, die unter den Nationen Italien alle Ehre gemacht haben. Wäre dies eine Einrichtung des protestantischen England oder des lutherischen Deutschland gewesen, hätten diese Länder sämtliche physischen und moralischen Kräfte aufgeboten, das Werk einzigartiger Zivilisation und soliden Fortschritts effektvoll zu fördern. Denn darin liegt das Verdienst des Instituts der chinesischen Geistlichen. ... Seine Absolventen wurden Glaubensapostel und zugleich Lehrer für Literatur und Kunst, für Wissenschaft, Handel und Gewerbe. Der Verlust des so gearteten Kollegs, das zahlreiche chinesische Missionare und Märtyrer hervorgebracht hat, ist ein großes Unglück für die Missionen der Kirche."[1]

Das Asiatische Kolleg hat die von der italienischen Regierung verfügte Umwandlung noch drei Jahre überdauert, indem man es provisorisch in der angemieteten Villa Petrilli in Capodimonte unterbrachte und dort der Unterricht fortgesetzt wurde, unweit des Orts, der ihm einhundertfünfzig Jahre als Sitz gedient hatte. Durch Schreiben vom 4. Juni 1892 teilte Kardinal Mieczysław Halka Graf Ledóchowski (1822–1902), Präfekt der *Propaganda*-Kongregation, dem Kardinal-Erzbischof von Neapel, Guglielmo Sanfelice, mit, daß die Mitglieder der kirchlichen Missionszentrale sich auf der Generalversammlung vom 30. Mai mit der Situation des Chinesischen Kollegs beschäftigt hätten. Nach sorgfältiger Prüfung und gewissenhafter Überlegung habe das Plenum beschlossen, das Institut angesichts der wenigen Schüler und der gänzlich unzureichenden Einkünfte nicht weiter zu erhalten.[2] Damit war auch kirchlicherseits das Ende des von Matteo Ripa – sein Seligsprechungsprozeß ist eingeleitet – gegründeten Kollegs gekommen, zumal seine ursprüngliche Zweckbestimmung aufgrund der inzwischen in China stattgefundenen politischen wie sozio-ökonomischen Veränderungen im Gefolge der imperialen Expansion der Westmächte – mit Einschluß Italiens – hinfällig geworden war.

---

1 Zitiert in: G. Nardi, *Cinesi a Napoli*, 530f., Anm. 27.

2 Ebd., 531.

Lediglich drei Mitglieder der Kongregation der Hl. Familie haben das Aus überlebt, die beiden Priester Giovanni Falanga und Michele Pacifico sowie der Laienbruder Giuseppe D'Andrea.[3] Die sieben letzten Studenten sind an das Collegium Urbanum in Rom überwiesen worden. Am 26. Januar 1897 hat man das Eigentum in Capodimonte den Schwestern der hl. Rosa verkauft, die dort für einige Zeit ein Waisenhaus führten. 1910 ist es zum Hospital der Elena D'Aosta umgestaltet worden.[4]

Durch das Gesetz vom 27. Dezember 1888 war das Orientalische Institut der Universität Neapel gleichgestellt worden, in der das Königliche Asiatische Kolleg als höhere Sekundarschule inkorporiert worden war. Dieses „Istituto Universitario Orientale di Napoli" stellt die älteste Schule der Sinologie und Orientalistik auf dem europäischen Kontinent dar, an dem seit Ende 1724 Mandarin, seit 1878 auch Hindi und Urdu gelehrt werden. Das Institut, das namentlich in der ersten Hälfte des 20. Jahrhunderts eine wechselvolle Geschichte erlebt hat, zeichnet sich aus durch die Fokussierung auf den linguistisch-literarischen und historisch-künstlerischen Bereich orientalischer und afrikanischer Sprachen, ohne dabei die mediterranen, europäischen und amerikanischen Kulturen zu vernachlässigen. Im Jahr 1975 ist eine Neustrukturierung vorgenommen und ein Konsolidierungsprozeß in Gang gesetzt worden. Gegenwärtig weist das Orientalische Institut der Universität Neapel vier Fakultäten auf: Literatur und Philosophie, Linguistik und fremdsprachige Literatur, Politikwissenschaften und Islamwissenschaft.[5]

---

3 Ebd., 533.

4 J. Emanuel, „Matteo Ripa", 139, Anm. 29.

5 Diese Angaben sind dem Internet entnommen: http://www.iuo.it/ATENEO/STORIA/HOME_Storia.htm.

Anlage*

Dokument 1
Gesetzentwurf des Ministeriums

Artikel 1

Das in Neapel existierende Kolleg der Chinesen wird als juristische Körperschaft für Öffentliche Bildung erhalten mit dem Ziel, jene jungen Menschen im Studium der wichtigsten lebenden Sprachen des Orients einzuführen und zu vervollkommnen, die sich den Konsulaten, dem Handel, der wissenschaftlichen Forschung, dem Unterricht und anderen Aufgaben widmen möchten, und ist unter dem Titel „Königliches Asiatisches Institut" vom Ministerium für Öffentliche Bildung abhängig.

Alle Güter jedweder Herkunft, mit Ausnahme der Baulichkeiten, die für das Institut notwendig sind, werden im Auftrag des Ministeriums für Öffentliche Bildung liquidiert und in öffentliche italienische Einkünfte umgewandelt.

Artikel 2

Im Königlichen Asiatischen Institut können auch Lehrstühle für Geschichte und Geographie Asiens sowie für europäische Sprachen errichtet werden.

Artikel 3

Die Professoren werden aufgrund ihrer Titel oder eines Wettbewerbs ernannt auf Anraten einer fachkundigen Kommission.

Ihre Besoldung wird laut der dem Gesetz angefügten Tabelle geregelt.

Um auf einen Lehrstuhl einen Gelehrten mit großem Ansehen zu berufen oder ihn dort zu halten, können die Bezüge um die Hälfte erhöht werden.

Artikel 4

Die Kongregation der Weltpriester, die von Matteo Ripa ins Leben gerufen worden ist, wird als juristische Körperschaft nicht länger anerkannt.

Die Priester, die am Tag der Vorlage dieses Gesetzes zur Kongregation gehören, haben Recht auf eine jährliche Pension von 600 Lire, wenn sie über

---

* Die Dokumente sind vorlagengetreu wiedergegeben, die Interpunktion und Orthographie behutsam modernisiert sowie offensichtliche Schreibfehler stillschweigend korrigiert worden. Das in eckigen Klammern Befindliche stammt vom Editor.

kein Einkommen verfügen oder nicht zugelassen werden, im Institut Dienst zu tun. Übernehmen sie ein Amt, das den Etat der Kommunen, der Provinzen, des Staats oder den Fond für den religiösen Kult belastet, oder verfügen sie über ein Benefizium oder ein Honorar für die Ausübung des Kults bekommen, wird die Pension um eine Summe gekürzt, die gleich der Hälfte des neuen Honorars ist, solange das Amt währt.

Artikel 5

Die königliche Regierung wird nach Anhören des Staatsrats und des Obersten Rats für Öffentliche Bildung Verwaltung, Leitung und Vertretung des Königlichen Asiatischen Instituts festlegen und ordnen, die dort zu errichtenden Lehrstühle bestimmen und für alles Sorge tragen, was für das Gremium der Professoren, die Ernennung der Beauftragten, für die Zulassung der Alumnen, die Verleihung von Prämien und Studienplätzen, für die Liquidation und Umwandlung des Erbes des Instituts und allgemein für die Ausführung des vorliegenden Gesetzes und für die Weiterentwicklung des Instituts notwendig ist.

Besoldungsstufen:

Ordentliche Professoren	L. 2500 3000
Lehrbeauftragte	L. 1500 1800

Dokument 2
Gesetzentwurf der Kommission

Artikel 1

Das in Neapel existierende Kolleg der Chinesen bleibt als juristische Körperschaft für öffentliche Bildung mit dem Titel „Königliches Orientalisches Institut in Neapel" erhalten und wird in die unmittelbare Abhängigkeit des Ministeriums für Öffentliche Bildung gestellt.

In ihm werden einheimische Bürgern und Interessenten aus den Ländern Asiens und Afrikas in den wichtigsten lebenden Sprachen des Orients unterrichtet. Ferner werden Grundkenntnisse in Literatur, Religion, Sitten und Handelspraktiken asiatischer und afrikanischer Völker vermittelt.

Artikel 2

Das Institut bietet Haupt- und Nebenfächer an nach Maßgabe der verfügbaren Mittel. Ein Vorlesungsverzeichnis ermöglicht eine allgemeine Orientierung.

Eine durch königliches Dekret innerhalb von sechs Monaten nach der Promulgation des vorliegenden Gesetzes zu erlassende Verfügung wird den

Fächerkatalog festlegen, ferner die Rangstufen und Bezüge der Professoren, die Leitung und Verwaltung des Instituts und alles für seine Weiterentwicklung Erforderliche im Sinn und in Ausführung des vorliegenden Gesetzes.

Artikel 3

Im Institut ist jedwedes Internat verboten. Gestatten es die örtlichen Verhältnisse, so kann am Sitz des Instituts kostenlose Unterbringung für Studenten und einheimische Repetitoren aus Asien und Afrika gewährt werden.

Artikel 4

Alle Güter des alten Kollegs der Chinesen, wo immer sie bis zur Promulgation des vorliegenden Gesetzes stammen und dem Institut geschenkt oder vermacht wurden unter Vorbehalt einer Änderung oder gebunden an eine vertrauenswürdige Verwaltung, werden durch das Ministerium für Öffentliche Bildung schrittweise liquidiert und in öffentliche italienische Einkünfte umgewandelt, die namentlich dem Institut als Testaterben (d. h. ohne Testament) hinterlassen werden, dem desgleichen jegliche andere Erbmasse natürlich hinterlassen wird, die ihm später legal zukommen mag.

Das Institut kann finanziell nicht einem anderen Bildungsinstitut untergeordnet oder einer anderen wissenschaftlichen Einrichtung angegliedert werden.

Artikel 5

Dem jährlichen Etat wird eine Summe entnommen, die ein Zehntel der Bruttoeinkünfte nicht überschreiten darf und als Beihilfen oder Stipendien den besten Alumnen des Instituts aus dem In- oder Ausland zugewiesen, nach den durch das Reglement festgesetzten Normen.

Artikel 6

Die Kongregation mit dem Titel der Heiligen Familie Jesu Christi wird aufgelöst.

Jedem der Priester, die am Tag der Vorlage dieses Gesetzes zur Kongregation gehören, wird eine Jahrespension von 600 Lire gewährt, wenn sie nicht zum Dienst für das Institut zugelassen werden.

Erhält ein Priester ein Amt, das den Etat der Gemeinden, der Provinzen, des Staats oder der Fonds für den religiösen Kult belastet, oder ein kirchliches Benefizium oder ein Honorar für die Ausübung des religiösen Kults, wird die Pension vermindert um eine Summe gleich der Hälfte des neuen Honorars für die Dauer des Amts.

Dokument 3
Memorandum von Raffaele De Martinis CM*

„Das Eingreifen der Exekutive in die Anordnungen der Justiz taugt zu nichts anderem, als die bestehende Ordnung eines freien Staates umzustürzen."
(Der Justizminister und Siegelbewahrer, Giuseppe Zanardelli, in der Abgeordnetenkammer am 28.November 1887)

I

Im Bewußtsein, daß der für die ausländischen Missionen bestimmte Klerus einer besonderen Ausbildung bedarf, gründete die katholische Kirche, je nach Bedarf, besondere Seminare, die sogenannten Apostolischen Kollegien [*Collegi Apostolici*]. Einige von ihnen wurden unmittelbar von der *Propaganda*-Kongregation geleitet, andere unterstellte die Kirche der Leitung religiöser Körperschaften und kirchlicher Kongregationen, die für die Ausbildung und Erziehung der jungen Glaubensboten wie auch für die vom Hl. Stuhl oder von anderen Gründern gestifteten Besitztümer Sorge trugen.

Gregor XIII. etablierte zweiundzwanzig solcher Institute in verschiedenen Ländern Europas und Italiens, Urban VIII. gründete das nach ihm benannte Urbanianum, das unmittelbar von der *Propaganda*-Kongregation [1622 errichtet] abhängt. Etliche weitere errichtete Innozenz XI.

Die Einflußnahme der *Propaganda* in den Apostolischen Kollegien, die anderen kirchlichen Institutionen anvertraut sind, ist jene, die in den Gründungsakten festgelegt ist und die jeweiligen Befugnisse abgrenzt.

Zu den Apostolischen Kollegien, die kirchlichen Institutionen anvertraut sind, zählt das Kolleg der Chinesen in Neapel, gegründet 1724 von Matteo Ripa und verwaltet von den Priestern der Gesellschaft der Hl. Familie [Jesu Christi] für die Betreuung der jungen Chinesen und Inder, die nach Neapel kommen, um eine kirchliche Erziehung zu erhalten, so daß ein einheimischer Klerus herangebildet wird, der dem Christentum und der europäischen Zivilisation in China und Indien Eingang verschafft.

Bei seiner offiziellen Errichtung im Jahr 1734 erhielt das Kolleg das „Exequatur" von seiten des Consiglio Collaterale. Der Gründer Matteo Ripa vermachte dem Institut sein ganzes Vermögen. Das dem Kolleg dienende Gebäude wurde von der Camera Apostolica für 6 000,- Scudos gekauft und das Recht auf Rückfälligkeit im Fall der Auflösung festgeschrieben. Die römischen Päpste Benedikt XIII. und Klemens XII. waren großzügig mit der Verleihung von Gütern und Privilegien, und Papst Benedikt XIV. schenkte dem Kolleg einen beachtlichen Besitz mit der Auflage, weitere acht junge

* In: ASVat/ASS, anno 1889, Rubr. 280: Collegio dei Cinesi di Napoli.

Leute aus dem Orient auszubilden; zusammen mit den Chinesen sollten es 32 sein, solange das Kolleg in Neapel bestehe (siehe die Dokumente). Obwohl die Entfernungen durch Dampfschiffe und den Kanal von Suez noch nicht verkürzt waren, kamen sehr viele junge Chinesen nach Neapel, um in den Genuß einer Ausbildung zu gelangen. Die Absolventen kehrten in ihre Heimat zurück, entweder als Priester und Künder von Zivilisation und Glauben oder als einfache Laien; sie brachten ihrem Land das Licht der Wissenschaft und machten Neapel in China bekannt, noch bevor man dort wußte, daß es Italien gab. Das Kolleg hat seine Märtyrer. Zu ihnen müssen gerechnet werden:

- Filippo Lieu, der Gefangenschaft erlitt und in einem Käfig gehalten wurde; er starb nach langen Entbehrungen im Jahr 1785;
- Simone Carlo Lieu, der zum „Halsbrett" (*canga*) verurteilt wurde und dieses fünf Jahre ertrug; er starb im November 1820;
- Francesco Tien [+ 1885], dessen Torturen im Kerker von Mgr. Pizzolati beschrieben worden sind.

Von den griechischen und türkischen Studenten wurden viele zu Bischöfen und Erzbischöfen ernannt, wie z. B. Se. Exzellenz Rev. Paolo Dei Conti Brunoni, Erzbischof von Taron, Apostolischer Vikar und Patriarch für die Lateiner in Konstantinopel.

Unter der französischen Besatzung hatte das Institut nicht zu leiden. Hätte Bonaparte genügend Zeit zur Verfügung gehabt, dann hätte er das Kolleg gewiß so gestalten wollen wie das Seminar für die Ausländischen Missionen in Paris, das Frankreich zur Ausbreitung seines Einflusses mehr genützt hat als seine Kanonen. Joachim Murat [König von Neapel] bot der Kongregation der Hl. Familie an, das Kolleg in das grandiose Gebäude dei Miracoli überzusiedeln; er wollte ferner, daß das lateinisch-chinesische Lexikon des Studenten Antonio Ciu und die im Kolleg erstellten geographischen Karten Chinas (außer der von Ripa gezeichneten) nach Frankreich gebracht würden.

Dies alles zeigt, daß im Ripa-Institut das religiöse Element kein Übergewicht über das weltliche hatte, so daß es dieses absorbiert hätte oder daß beide sich gegenseitig behindert hätten, sondern beide waren als komplementäre Größen gleichzeitig so vertreten, wie es in allen christlichen Institutionen, die die Welt zivilisiert und wissenschaftlich geprägt haben, notwendig ist.

Napoleon jedenfalls fand das religiöse Element nicht dominierend, und als Politiker wollte er, daß das Kolleg so gedeihe, wie es in seiner ursprünglichen Konzeption angelegt war, um es als Instrument des Einflusses in seinem neuen italienischen Reich einzusetzen (In der gleichen Absicht restaurierte und förderte er auch derartige Institute in Frankreich).

Der napoleonische Gedanke weist darauf hin, daß die ursprüngliche Bestimmung des Kollegs der Chinesen dem Interesse unseres Landes dient, das politisch in die Reihe der großen Staaten eingetreten ist, wie es schon immer dazu gehörte aufgrund seines moralischen, zivilisatorischen und religiösen Primats. Italien spürt die Notwendigkeit, Schulen zur Verbreitung der italienischen Sprache im Ausland zu gründen, und wer könnte dies besser tun als das Kolleg? Die Söhne Chinas und des Orients lernen hier die Sprache; sie gewinnen Sympathie und Dankbarkeit gegenüber einer für sie und ihr Vaterland wohltätigen Nation, ohne von anderen möglichen Konstellationen zu sprechen, die die gleichen nationalen Ziele anderswo und in den Kolonien erreichen könnten.

Diese weitsichtigen Ideen waren ganz im Geist des Grafen Cavour. Als daher in den Jahren 1861 und 1866 die Gesetze zur Auflösung der Ordenshäuser erlassen wurden, erkannte man, daß diese nicht auf das Kolleg und die Kongregation der Hl. Familie, die es leitete und verwaltete, anwendbar waren. Und in seinem Bericht an den Senat gibt Minister [Paolo] Boselli mit der ihn so ehrenden Loyalität das Urteil wieder, das sich die Sonderkommission der Regierung über das Kolleg gebildet hatte. Aber diese Verdienste hatten keine Bedeutung und verhinderten nicht, daß das Kolleg mit Dekret vom 12. September 1869 vom Unterrichtsminister [*Ministro della Pubblica Istruzione*] [A. Bargoni] zur juristischen Person des öffentlichen Unterrichtswesens erklärt und ihm der Titel Asiatisches Kolleg von Neapel [*Collegio Asiatico de Napoli*] gegeben wurde unter gleichzeitiger Übernahme der Leitung und der Verwaltung.

II

Es wäre zu schmerzlich, wollte man wiederholen, wieviel Schaden die aufgezwungene Regelung angerichtet hat.

Man wollte ein Kolleg für Araber und Chinesen jedweden Glaubens und verschiedener Bestimmungen einrichten, aber es mußte aufgelöst und alle Alumnen entlassen werden, mit Ausnahme der besonders begabten und leistungsstarken, die in der Folge kein gutes Zeugnis von sich gaben. Dafür wollen die Gegner das Institut verantwortlich machen, ohne zur Kenntnis zu nehmen, daß der Mißerfolg auf eine unüberlegte, von seiten des Ministeriums gewollte Ansammlung [*assembramento*] von heterogenen Elementen zurückzuführen ist. Diese chaotische Konfusion war der Grund für die Abdankung des vom Ministerium eingesetzten Direktionsrats, weil eben jegliche seriöse Leitung und Überwachung fehlte; und da man die dafür verantwortlichen Gründe nicht erkannte beziehungsweise nicht zur Kenntnis nehmen wollte, ließ man mit konzeptionsloser Nachlässigkeit die Geschicke laufen, und dies bis zum heutigen Tag. Man wollte eine Schule für orientalische Sprachen errichten, aber die zunächst abgeschaffte wurde dann in der Nähe der Universität auf Kosten des Kollegs wiedereröffnet. Den Gesellschaftern wurde verboten, anstelle der verstorbenen neue Mitglieder aufzunehmen, was de facto einer Abschaffung des Instituts gleichkommt. Nachdem das Ministerium etwa zwanzig Jahre lang das Personal einschrumpfen ließ, erwartet es heute von eben diesem Personal jugendliche Kraft und dynamische Energie. Viele unnötige ministerielle Ermittlungen sind aufeinander gefolgt, fünf unheilvolle Neuregelungen, verbunden mit enormen, überflüssigen Spesen, wurden eingeführt bis hin zur Neuordnung durch Minister [Francesco] De Sanctis.

Diese Neuordnung machte die Konfusion perfekt. Das Reglement für die Verwaltung gab dem Konservator derartig viele Rechte, daß er die für alles zuständige Person [*padrone*] war. Die Etats waren immer ein eleusinisches Mysterium; darin wurde den Gesellschaftern 1 Lira und 60 cent. pro Tag zuerkannt. Zwei dieser Jahresbilanzen, vom Ministerium nicht approbiert, nicht verschieden von den approbierten, vom Commendatore Anselmi geprüft, lassen so viel zu wünschen übrig, daß der von ihm verfaßte und dem Ministerium übersandte Bericht über die fatalen Bedingungen der Verwaltung nicht publiziert wurde. Die Verwaltung hat das gesamte Eigentum verfallen lassen. Den desolaten Zustand wird man erkennen, wenn die Konvertierung erfolgt ist. Trotzdem aber erscheinen im Etat jährlich erhebliche Beträge für die Instandhaltung. So wurde dem ministeriellen Schatzmeister ein Diebstahl von 500 000 Lire möglich gemacht.

Diese Lage der Dinge zwang die Mitglieder der Kongregation der Hl. Familie, die Königliche Majestät zu bitten, eine Prüfung der Dekrete anzuordnen, die in solch beklagenswerter Weise das wohltätige Werk zerstörten. Daraufhin verfügte der Staatsrat am 28. Juni 1878, daß das Königliche Dekret Nr. 2876, Serie 2, vom 26. Oktober 1875 rückgängig gemacht werden müsse.

III

Als die Vota des Staatsrats erfolglos blieben, sahen es die Repräsentanten des Instituts als ihre Pflicht an, die Gerichte anzurufen, um von der Justiz zu erreichen, was ihnen das Ministerium verweigerte. So begann eine Serie von Rechtssprüchen und Streitereien vor Gericht. Auf die ministeriellen Rechtsverletzungen antworteten die Gerichte dadurch, daß sie mit dem Urteil des 2. Senats des Berufungsgerichts von Neapel dem Institut Recht gaben.

Nachdem ferner die Zuständigkeit mit dem endgültigen, nicht mehr verhandelbaren [*irretrattabile*] Urteil der Vereinten Kammern des Kassationshofs von Rom geklärt und ein Urteil des 1. Senats des Berufungsgerichts von Neapel wegen mangelnder Begründung annulliert worden waren, bestimmte ein weiteres Urteil des 3. Senats desselben Gerichtshofs vom 21. Dezember 1885 Folgendes: Das Gericht erklärt:

1. daß das Kolleg der Chinesen, heute Asiatisches Kolleg genannt, eine private Gründung mit religiöser Zielsetzung ist und unter kirchlicher Leitung steht;
2. daß [Giovanni] Falanga und seine Mitarbeiter [*consorti*] in ihrer Eigenschaft als Mitglieder der Kongregation der Weltpriester der Hl. Familie Jesu Christi Recht haben auf den Besitz und die Verwaltung der Güter des genannten Kollegs sowie auf den Besitz sämtlicher Titel, die diesem gehören.
3. daß Falanga und seine Mitarbeiter in ihrer genannten Eigenschaft gleichermaßen Recht haben auf die exklusive Ausübung der Befugnisse, die ihnen aufgrund der Regeln und Konstitutionen des Instituts, so wie der Gründer Matteo Ripa sie verfaßt hat, übertragen wurden, und zwar in allem, was die interne Leitung und den Unterricht des Instituts betrifft, unbeschadet der Regierungsaufsicht des Unterrichtsministers, insoweit diese den Unterricht in den höheren Schulen und die Betreuung [*sorveglianza*] von Alumnen in allen anderen Erziehungs- und Bildungsbereichen der Staatsschulen zum Schutz von Moral, Hygiene und der öffentlichen Ordnung betrifft.
4. daß die genannten Rechte verletzt werden durch die Königlichen Dekrete vom 12. September 1869, Nr. 5290 und 5291, - vom 2. Juni 1870, Nr. 5699, - vom 16. April 1874, Nr. 1588, - vom 26. Oktober 1875, Nr. 2876, - vom 28. Oktober 1878, Nr. 4606 und 4607 Serie 2, - vom 8. Dezember 1878, Nr. 4671 und 4672 Serie 2, samt den entsprechenden Ausführungsbestimmungen.
5. daß keine Veranlassung besteht, so zu entscheiden, weder in bezug auf die Forderung der Fortsetzung der Unterhaltszahlungen noch hinsichtlich der Verluste, deren Rechtmäßigkeit - ob und wie - durch Gesetz geregelt ist.
6. daß es das Unterrichtsministerium zugunsten der Prozeßkläger Falanga und Konsorten verurteilt, in der angegebenen Eigenschaft, zur Zahlung der Hälfte der bisher aufgewendeten Gerichtskosten einschließlich derer der Kassation von Rom und Neapel, sowie zur Zahlung der Hälfte aller Anwaltshonorare des Anwalts beim Gerichtsschreiber [*Consigliere estensore*]. Die andere Hälfte wird kompensiert.

Gegen dieses Urteil ging das Königliche Ministerium in die Berufung, aber die Beschwerde wurde von den Vereinten Kammern des Kassationshofs in Rom zurückgewiesen mit Urteil vom 9. Juli 1887, veröffentlicht am 9. August desselben Jahres. Dieses Urteil lautet:

> Das Gericht mit den vereinten Senatskammern weist die vom Unterrichtsministerium und vom Konservator des Asiatischen Kollegs in Neapel

> vorgetragene Berufung ab, die sie gegen das Urteil des 3. Zivilsenats des Appellationshofs von Neapel, gefällt am 11. Dezember 1887 und veröffentlicht am 31. Dezember desselben, angestrengt hatten. Es verurteilt die Berufungskläger zur Zahlung der Spesen des gegenwärtigen Kassationsurteils in Höhe von 24 Lire, 70 cent. sowie zur Zahlung von 100 Lire als Honorar des Anwalts.

Durch dieses Urteil wurde das Ripa-Institut wieder in seine Rechte eingesetzt.

IV

Über die Verwaltungsgerichte bestimmt das Gesetz in Artikel 4:

> Wenn der Rechtsstreit ein Recht betrifft, das angeblich durch einen Verwaltungsakt verletzt wurde, sollen die Gerichte sich darauf beschränken, die Auswirkungen [*effetti*] des betreffenden Akts in bezug auf den im Gericht dargelegten Sachverhalt zu ermitteln.
>
> Der Verwaltungsakt kann nicht rückgängig gemacht oder modifiziert werden, es sei denn aufgrund einer Eingabe an die betreffenden Verwaltungsautoritäten, die sich dem Urteil der Gerichte, insoweit es den entschiedenen Fall betrifft, unterwerfen müssen.
>
> Buchstabe und Geist des Gesetzes verpflichten die Verwaltungsbeamten, sich nach vorausgegangenem Rekurs an den König und erhaltenem Königlichen Dekret, der richterlichen Entscheidung zu unterwerfen.

In Übereinstimmung mit dem zitierten Gesetz machten die Verantwortlichen des Ripa-Instituts auf dem Instanzenweg eine Eingabe an S. M. den König, damit das Urteil ausgeführt werde.

Der an den König eingesandte Rekurs wurde unterwegs vom Unterrichtsministerium zurückgehalten. Auf die Anfrage, wieso der Rekurs nicht weiterginge, antwortete der Minister: Da man eine, das Kolleg betreffende Gesetzesvorlage der Kammer vorlegen wolle, habe das Unterrichtsministerium jeden, dieses Kolleg betreffenden Schritt gestoppt.

Die Gesetzesvorlage wurde von Minister [Michele] Coppino eingebracht und von der Kammer angenommen. Was noch aussteht, ist, daß der Senat sie bestätige, abweise oder modifiziere.

Die Notwendigkeit dieses Senatsbeschlusses ist die einzige Bürgschaft [*palladio*] für Gerechtigkeit, Freiheit und Eigentum, die durch dieses Gesetz in unserem Land gefährdet sind. Der Senat ist die Instanz, die dem Gebot [*imperativo*] der getroffenen Entscheidung und der Würde der Staatsmacht, die entschieden hat, Geltung verschaffen muß. Das Land vertraut auf den unabhängigen Patriotismus des Senats, der dafür eintritt, daß alle Gruppen [*ciascuna parte*] von der Staatsmacht in der Entfaltung ihrer Tätigkeiten respektiert werden, ohne daß sie sich dem Ansinnen der anderen unterwirft. In seinem Sinn für Unparteilichkeit und Gerechtigkeit weiß der Senat Ausschreitungen, die die Rechte Dritter verletzten, zu zügeln; in seiner Klugheit versteht er es, im Gesetz das wahre Motiv vom scheinbaren zu unterscheiden und letzteres, wie ihm gebührt, zu beurteilen. Der Senat entscheidet in seiner Weisheit [*sapienzia*] im wahren Interesse der Nation, einzige Norm der Gesetze der Völker, die nach Unparteilichkeit und Gerechtigkeit regiert werden. In der Wahrheit läßt er die Gerechtigkeit triumphieren.

V

Das Vorgehen eines Ministers wird von der Justiz verurteilt, weil dadurch die Freiheit und das Eigentum einer vom Staat zugelassenen und anerkannten juristischen Person verletzt werden. Um der Verurteilung auszuweichen, befolgt man nicht das staatliche Gesetz, das den Vollzug des Urteils verlangt, sondern man macht ein anderes Gesetz, das den in ihrem Recht Geschädigten die zivilrechtliche Existenz abspricht, so daß niemand mehr die geforderte Wiederherstellung reklamieren kann. Unter dem Anschein von dem großen nationalen Nutzen wird das Patrimonium des Instituts, ohne sich um die damit verbundenen Auflagen zu kümmern, zweckentfremdet und einem neuen Institut zugeeignet, das wegen seines Namens und seiner Zielsetzung im Widerspruch zu dem steht, was die Gründer des ersten beabsichtigt hatten. Diese gaben ihr Geld für ein Institut der kirchlichen Missionen, der Minister machte daraus eines für Sprachen.

Man versichert, es handle sich dabei um eine Neuordnung des Kollegs der Chinesen in Neapel; in Wirklichkeit wird eben dieses zerstört, und es entsteht in Neapel ein Königliches Orientalisches Institut.

Das von der Abgeordnetenkammer approbierte Gesetz, das nun dem Senat zur Entscheidung vorliegt, soll alle von der Justiz bereits verurteilten Handlungen der Exekutive legitimieren, wo doch die Justiz bei zivilisierten Völkern als gemeinnützige Norm der Gerechtigkeit für die Wiederherstellung verletzter Rechte einsteht.

VI

Mag sein, daß ein Minister ein Gesetz vorschlägt und die Abgeordnetenkammer es annimmt, so bleibt es doch dem Senat vorbehalten, über seine Zulässigkeit und Angemessenheit für die Nation zu entscheiden. Ist das Gesetz einmal angenommen, so muß sich jeder Staatsbürger diesem, wie auch immer, unterwerfen, eben weil es ein verpflichtendes Gesetz ist. Aber ein Minister darf kein Gesetz vorschlagen, das anderen, bestehenden Gesetzen widerspricht, ohne zunächst deren Abschaffung oder Veränderung zu beantragen. Er kann mit der Präsentation einer Gesetzesvorlage nicht die Durchführung eines Gerichtsbeschlusses verhindern, insbesondere dann nicht, wenn diese von einem Gesetz angeordnet wird, das, wie in diesem Fall, die Exekutive anweist, sich der Entscheidung zu unterwerfen. In einer solchen Situation gibt es zwei gewichtige Imperative: das Gesetz und die Gerichtsentscheidung, die beide miteinander verbunden sind. Man kann die Entscheidung des Gerichts nicht ignorieren, ohne das Gesetz zu übertreten. Die Auswirkungen des Urteils verhindern wollen, heißt darum, sich dem Gesetz und dem gesetzgebenden Organ der Nation zu widersetzen. Das Urteil des Kassationshofs in Rom in Sachen Kolleg der Chinesen in Neapel und das Gesetz des Verwaltungsgerichts sind miteinander verknüpft. Jenem zu widerstehen, bedeutet darum, dieses zu verachten.

Ohne vorher das Verwaltungsgesetz zu annullieren oder zu verändern, hat das Parlament das Ministerium von der Pflicht dispensiert, sich dem Gerichtsurteil zu fügen. Mit dieser Entscheidung geraten Freiheit und Privateigentum in große Gefahr möglicher Angriffe von seiten der Exekutive, die zukünftig bei Niederlagen vor Gericht es mit der Willfährigkeit einer Abgeordnetenkammer versuchen wird.

Ein anderes Gesetz des Staates ist das Gesetz Casati von 1859, das den gültigen Kodex für das öffentliche Schulwesen bildet. Es enthält die Richtlinien zur Verbesserung der den kirchlichen Kongregationen anvertrauten Institute. Die erste Richtlinie besagt, daß der Respekt vor den Intentionen der Gründer, das Festhalten an den Gründungsakten die Norm für alle Neuordnungen bildet. Im Fall des Kollegs der Chinesen hat sich der Staatsrat in seiner Sitzung vom 22. Juni 1878 mit der Erklärung, daß das Königliche Dekret Nr. 2876 vom 26. Oktober 1875 als illegal rückgängig gemacht werden müsse, dem Gesetz Casati unterworfen, als er dem Minister nahelegte, „Vorkehrungen zu treffen, damit das Asiatische Kolleg seine ursprüngliche Bestimmung bewahre, so wie sie von seinem frommen und verdienstvollen Gründer festgelegt worden war".

Vorgängig zu diesem Votum befolgte das Ministerium in seinen Richtlinien das Gesetz Casati.[1] So wird im Dekret vom 12. September 1869 eine Übereinstimmung mit diesem Gesetz und den Gründungsakten sichtbar. Aber mit den späteren Dekreten gestaltete es die ganze Institution dermaßen um, daß ein Weiterbestehen unmöglich wurde. Es war darum auch nicht die Lust am Prozessieren, sondern das Gespür für die eigene Selbsterhaltung, das dazu führte, den Schutz der Gerichte anzurufen und sie um die juristische Überprüfung zu ersuchen.

Der Minister behauptet, daß dic Kongregation der Weltpriester keine Existenzberechtigung mehr habe wegen der absoluten Laizität des Kollegs; der Staat dürfe sich nicht zum Promotor der Missionen machen. Das ist eine Ansicht des Ministers und vielleicht noch einiger Mitglieder der Abgeordnetenkammer, die man zur Grundlage eines Gesetzes machen will.

Darüber hat der Senat zu entscheiden, der zwischen der Ansicht des Ministers und der Auffassung sämtlicher europäischen Staaten, die, ob katholisch oder nicht katholisch, den Schutz der Missionen als hohe Politik betrachten, ohne Zweifel diese letztere annehmen und die erstere ablehnen wird.

Aber was auch immer der Minister und mit ihm die Abgeordneten behaupten, derartige juristische Körperschaften des öffentlichen Rechts haben ihre Daseinsberechtigung, die ihnen nur durch eine Gewalt, die seit langem ihre Vernichtung vorbereitet hat, genommen werden kann.

In der Tat, jede zugelassene Vereinigung, die als juristische Privatperson konstituiert, also nicht vom Staat gegründet worden ist, die ferner die vom Gesetz zu ihrer Anerkennung vorgeschriebenen Formalitäten erfüllt hat, was nicht gleichzusetzen ist mit Gründung, hat das Recht, Gutes zu wirken, ihr Ziel, das als erlaubt und dem nationalen Wohl nicht widerstrebend erklärt wurde, zu verfolgen, und zwar mit den ihr eigenen materiellen und moralischen Mitteln, die ebenso wie das Ziel erlaubt sind. Nur dem Staat kommt das Recht zu, sie im Interesse der öffentlichen Ordnung zu überwachen, damit sie bei der Entfaltung ihrer Mittel zur Erreichung ihres Ziels, die legitime Ordnung der Gesellschaft nicht stört, wofür ja schon die Zivilgesetze des Landes sorgen. Ferner hat der Staat die Pflicht, die Institution in der Verfolgung ihrer Ziele und Bewahrung ihrer Mittel im Interesse der Institution selbst als auch der Gesellschaft, zu deren Wohl sie arbeitet, zu schützen. Wenn die erreichten Resultate den berechtigten Erwartungen nicht voll entsprechen, kann die Exekutive mahnen und zu erhöhter Leistung antreiben. Sie kann der Assoziation die Gemeinnützigkeit absprechen, falls sie diese nicht verdient; sie kann an ihr, im Interesse der Gesellschaft, Amendements anbringen, aber nur solche, die mit dem Wesen und dem Geist der Institution übereinstimmen. Niemals jedoch darf die Regierung Hand anlegen, um die Zielsetzung zu verändern und die Mittel zu entziehen beziehungsweise zu schmälern. Anders vorzugehen hieße, daran besteht kein Zweifel, die Freiheit verletzen; es wäre eine gewaltsame Beraubung, ein Despotismus, der alle Institutionen des freien Sektors erniedrigen würde, ja der schlimmste Despotismus absoluter Regierungsformen.

Die Regierung hat von der Abgeordnetenkammer ein positives Votum zu ihrem Gesetz erhalten und erhofft sich das gleiche vom Senat, um sich damit der Befolgung der früheren Gesetze in dieser Materie und denjenigen, die die Existenz der freien, zugelassenen und anerkannten Vereinigungen garantieren, zu entziehen. Sie will mit diesem Gesetz der Verantwortung ihrer Taten ausweichen und diese vor der Öffentlichkeit den Vertretern der Legislativen aufbürden.

Aber um der Würde der Nation willen sind wir sicher, daß der Senat nicht den eigenwilligen Gelüsten des Ministers, sondern unabhängig dem Gebot [*i dettati*] der Gerechtigkeit, den Grenzen, die diese jedem Gesetz auferlegt, damit es frei und unabhängig, d.h. den Ansprüchen Dritter gegenüber gerecht bleibt, Folge leisten wird.

Diese Grenzen werden vom allgemeinen Recht bestimmt, das jedem erlaubt, seiner eigenen, legitimen und juristisch anerkannten Freiheit gemäß zu handeln; sie werden bestimmt vom vernunftgemäßen Gesetz des Rechten und Redlichen [*onesto*], das die Behinderung der angeborenen und erworbenen Freiheit anderer als Unrecht betrachtet; es ist unredlich, die Hand auf das Patrimonium anderer zu legen, um Ziele zu verfolgen, wofür die Gründer diese Mittel nicht gegeben haben, die sie folglich in der Person ihrer Nachfolger zurückverlangen können, weil die ursprüngliche Zielsetzung verändert wurde. Dem so verstandenen öffentlichen Recht aller Völker widerspricht die vom Parlament per Gesetz angestrebte und dem Senat zur Approbation vorgelegte Neuordnung.

Mit seinem Sinn für Gerechtigkeit und Unabhängigkeit muß sich der Senat folgende Vorfragen stellen, ehe er das Gesetz approbiert oder abweist:

1. Kann der Senat zustimmen, daß die Exekutive die Durchführung eines Gerichtsurteils des höchsten Magistrats des Staates, der die Exekutive selbst verurteilt, verhindert?
   Würde diese Zustimmung gegeben, dann würde im Bewußtsein der Völker die Würde der Justiz [*Potere Giudiziario*] erschüttert werden; die Gleichheit der streitenden Parteien vor dem Gesetz wäre dahin; die Harmonie und das Gleichgewicht innerhalb des Staates wären gestört und die Freiheit der privaten Staatsbürger bedroht.
2. Kann der Senat ein Gesetz approbieren, ohne vorher ein früheres, das diesem widerspricht, zu annullieren?
   In unserem Fall, kann der Senat das Gesetz zur Neuordnung des Kollegs der Chinesen, das die Exekutive von der Durchführung des Urteils des Kassationshofs von Rom entpflichtet, approbieren, wenn er nicht zuvor das Gesetz des Verwaltungsrechts, das den Verwaltungsautoritäten auferlegt, sich dem Gerichtsurteil, soweit es den entschiedenen Fall betrifft, zu unterwerfen, abschafft, wenn er nicht zuvor das Gesetz Casati, das die Bestimmungen bezüglich derartiger Institutionen enthält, ändert?
   Die Achtung vor den bestehenden Gesetzen bedingt die Würde der Gesetzgebung. Sieht der Gesetzgeber sich genötigt, Veränderungen anzubringen, dann muß er diese erklären und ihre gesellschaftliche Notwendigkeit aufzeigen, nicht aber durch Stillschweigen und implizite Abrogation eine offenkundige Verachtung [für die Gesetzgebung] an den Tag legen. Die Vielheit der Gesetze, die einander widersprechen, zeigt den Verfall der Gesetzgebung, und das generiert Vertrauensverlust.
3. Kann der Senat ein Gesetz approbieren, das für einen Spezialfall angestrebt wird, nämlich um die Durchführung eines Gerichtsurteils zu verhindern und dessen Auswirkungen zu entgehen?

Die Angelegenheiten, die den Gegenstand des Gesetzes bilden, sind das allgemeine Wohl der Völker und die Realität. Die Allgemeingültigkeit dieser Interessen liegt nicht am Geschrei einer Handvoll Leute, die ein besonderes Interesse am Gegenstand des Gesetzes haben, sondern an der Meinung der Allgemeinheit. Die Realität erschließt sich nicht in der irreführenden [*speciosa*] Darlegung der Motive der Gesetzesvorlagen, sondern im wahren Gemeinwohl, das sie bewirken und mehr noch in der Gerechtigkeit, die nicht verletzt.

4. Kann der Senat ein Gesetz gutheißen, das keine Rücksicht auf die Verletzung der erworbenen Rechte Dritter nimmt, die für die von der Regierung angestrebte Neuordnung keinen Grund geliefert haben können?

In unserem Fall wären dies die Apostolischen Vikare Chinas und der Episkopat der türkischen Gebiete, die durch die Neuordnung eines säkularisierten Kollegs ein Institut für ihre Kleriker verlieren, die, in Italien unterrichtet und erzogen, dem Klerus in ihrer Heimat und den ihrer Sorge anvertrauten Völkern Wissenschaft und Bildung bringen sollen. In unserem Fall wären es ferner die im Kolleg wohnenden Alumnen, die nach Italien in ein ganz für sie bestehendes Institut gekommen sind, und die sich nun als Fremde, ohne Mittel zur Vollendung ihrer Ausbildung wiederfinden, weil das Gastland ihnen den Stiftungsfonds, worauf sie ein Recht hatten, genommen hat. Alles ist verändert und zerstört, ohne daß auch nur ein kleiner Teil für die Missionen übriggeblieben wäre.

Der Minister ist befugt, ein Kolleg zu gründen. Warum kann das chinesische nicht ausschließlich für die Missionen weiterbestehen?

VII

Die katholischen Missionen können dem Bericht von Unterrichtsminister Coppino zufolge nur insoweit berücksichtigt werden, als sie sich der Förderung der Zivilisation widmen bei Völkern, die ohne sie für jedes Licht [der Kultur und Wissenschaft] unzugänglich sind, und ferner, insoweit sie Einfluß haben oder haben können auf die Förderung sozialer Ziele; alles andere gehöre zur Kirche, die „Glaubensangelegenheit" sei.

Sein Nachfolger, Minister Boselli, fordert in seinem Bericht an den Senat die absolute Laizität des kirchlichen Instituts, was Neuordnung bedeutet, „weil die Vermischung des Heiligen mit dem Profanen und die Abhängigkeit der zivilen und der kirchlichen Macht untereinander unserem öffentlichen internen Rechtswesen widerstrebt und praktisch, wie in diesem, so auch in ähnlichen Fällen, immer schädliche Folgen gehabt hat".

Aus dem, was Minister Coppino behauptet, ergeben sich zwei Konsequenzen: Entweder ist das Kolleg an sich von sehr großem gesellschaftlichem Nutzen, angesichts der Tatsache, daß es naturgemäß ein bedeutendes Werk der italienischen Kultur ist, Glaubensboten heranzubilden, die zu gleicher Zeit zu Männern der Wissenschaft für ihr Vaterland werden, in welches sie die Kenntnisse über und die Liebe zu Italien hineintragen; oder aber das Kolleg als kirchliches Apostolats- und Glaubenswerk, womit der Staat sich nicht befassen darf, muß der Kirche mit all seinen Besitztümern zurückerstattet werden, damit es das Glaubenswerk weiterführen kann. Das Vermögen für andere Werke mit rein ziviler Zielsetzung zu verwenden, ist eine ungerechte Beraubung zum Schaden der katholischen Kirche, besonders deshalb, weil die eigentliche Bestimmung der Besitztümer durch die Urteile der Justiz, wie in vorliegendem Fall, bestätigt worden sind.

Aus dem Bericht des Ministers Boselli ergibt sich die gleiche notwendige Konsequenz, nämlich daß das Kolleg der Chinesen der katholischen Kirche zurückgegeben werden muß, eben weil unser internes Rechtswesen die Vermischung von Heiligem und Profanem verabscheut. Wenn die Trennung von Kirche und Staat gefordert wird, dann muß sie in allen Teilen durchgehalten werden und nicht in einem opportunistischen Milieu stecken bleiben. Wenn unser internes Recht die Vermischung von religiöser und profaner Autorität nicht zuläßt, darf es auch die Vermischung des Eigentums nicht zulassen. Wenn die Vermischung der Autorität reichlich schädliche Konsequenzen gehabt hat, so wird die des Eigentums derer nicht weniger haben, weil sie die soziale Gerechtigkeit verletzt, die Freiheit und das Recht auf Privateigentum vergewaltigt und dem Sozialismus Tür und Tor öffnet.

Die von den Ministern selbst angeführten Gründe zeigen neben anderen, daß das Kolleg nicht säkularisiert werden darf, sondern denen zurückgegeben werden muß, die das Recht haben, es zu besitzen.

Aber, mehr noch als ein Glaubenswerk zu sein, das keine Vermischung von Heiligem und Profanem duldet, ist das Kolleg der Chinesen eine Institution, die sich so sehr den nationalen Interessen im Ausland widmet, die so bedeutende kulturelle Resultate aufzuweisen hat, daß unser öffentliches internes Rechtswesen, aus Respekt vor dem internationalen Recht und vor den nationalen Interessen im Ausland, seine eigene Sicht der Dinge aufgeben wie auch dem Kolleg sein Leben zurückgeben und es darin bestärken muß.

In der engen Allianz von Apostolat und Kultur liegt die Bedeutung des Kollegs der Chinesen für unser Land. Es fördert den nationalen Einfluß Italiens mehr als eine Sprachschule, so wie sie vom Parlament konzipiert ist, die mit immensen Kosten – die jedoch im Etat nicht ausgewiesen sind – die Einheimischen ferner Länder dazu bringen wird, die italienische Sprache zu sprechen.

Vierunddreißig chinesische, indische, türkische und griechische Alumnen lernen hier Italienisch und machen es in ihren Ländern bekannt.[2] Und während der Außenminister jährlich große Summen ausgibt, um im Ausland Schulen für Italienisch zu unterhalten, zerstört der Unterrichtsminister ein Institut, das hervorragend zur Verbreitung der italienischen Sprache geeignet ist. Minister Coppino nennt ein Institut unnütz, das ihm hundertmal vorgeschlagen hat, mit eigenen Mitteln in China ein Kolleg als Vorstufe zu Neapel zu errichten. Darin sollte von italienischen und einheimischen, im Kolleg von Neapel ausgebildeten Lehrkräften, Italienisch, Latein und Chinesisch gelehrt werden. Aus den einheimischen und eventuellen italienischen Alumnen könnten dann diejenigen ausgesucht werden, die geeignet sind, nach Europa zu kommen, um ihre wissenschaftlichen Studien zu vervollständigen.

Minister Boselli ist der Meinung, das Kolleg der Chinesen sei nicht geeignet und förderlich zum Unterrichten und Erlernen von Fremdsprachen. Er hat Recht. Matteo Ripa hatte nicht die Absicht, eine Sprachschule zu eröffnen. Er erreichte jedoch im Interesse Italiens mehr als das, was die Abgeordnetenkammer und der Minister anstreben. Die Gesellschaft lebt von Export und Import. Der Minister versucht mit seinem Orientalischen Institut, die Sprachen Asiens und Afrikas in Italien einzuführen. Wir wünschen ihm den Erfolg eines Matteo Ripa, der vor mehr als einem Jahrhundert die italienische Sprache nach China und anderen Regionen Asiens exportiert hat.

VIII

Der offenkundige Zweck des Gesetzes ist die Notwendigkeit, eine Sprachschule nach dem Vorbild der Schule der lebenden orientalischen Sprachen von Paris, der Orientalischen Akademie von Wien oder des Orientalischen Seminars der Königlichen Friedrich-Wilhelm-Universität von Berlin zu besitzen. Sollen doch der Minister und die Abgeordnetenkammer eine Sprachschule gründen, die den oben genannten nicht nur ähnlich, sondern besser als sie ist, ein großartiges Orientalisches Institut, aber dann mit Staatsmitteln und nicht mit privaten Stiftungen, die andere nationale Bedürfnisse abdecken. Die genannten Schulen gehen alle zu Lasten des Staates: die von Wien wird vom Außenministerium finanziert, welches ein Teil des Kaiserhauses ist, die französische geht zu Lasten des Unterrichtsministeriums und das Seminar von Berlin gehört zur Friedrich-Wilhelm-Universität.

Will die Regierung den anderen Staaten in der Errichtung großer Institute, die uns fehlen, nacheifern und ein Königliches Institut gründen, soll sie ihnen in allem folgen und sich nicht engstirniger und ungerechter Mittel bedienen, indem sie ein staatliches Institut mit der Beraubung eines Privatunternehmens finanziert, das für den Staat genauso nützlich und notwendig ist.

Der Minister soll die Abgeordnetenkammer um Finanzmittel bitten, und diese soll sie ihm gewähren und im Etat ausweisen, anderenfalls bleibt alles in der Planung stecken. Sich auf den Stiftungsfonds des Kollegs zu verlassen, ist sehr trügerisch. Wird dieses nämlich zum Verkauf angeboten, um es umwandeln zu können, dann wird das Resultat angesichts der Agrarkrise, die wir gegenwärtig durchmachen, und die urbane Lage des Eigentums des Kollegs nicht sehr erfreulich sein; zudem muß dann noch der ganze reversible Teil des Patrimoniums davon abgezogen werden.[3]

Obwohl das Gesetz als ganzes von vier Entwürfen ausgeht, läßt es viel an Präzision und intelligenter Voraussicht zu wünschen übrig. Es will das Ziel, vernachlässigt aber die Mittel, es zu erreichen. So übersieht es, daß die Priester der Kongregation der Hl. Familie Jesu Christi Weltpriester ohne Gelübde sind, setzt aber letztere als notwendig voraus, um eine Pension zu beziehen. Es gewährt sie, und zugleich verweigert es sie. Hoffen wir, daß der Senat den Fehler entdeckt und eliminiert.

Angesichts der Feststellung, daß die von der Abgeordnetenkammer approbierte Neuordnung des Unterrichts dem Ripa-Kolleg Unrecht zufügt, sei es uns im Interesse der Wahrheit und Gerechtigkeit erlaubt, ein paar Worte zur eigentlichen Neuordnung des Kollegs der Chinesen zu sagen, damit der Senat in seiner Weisheit [*sapienza*] zwischen der Zerstörung durch den Minister und der Wiederherstellung im Sinn des Urteils der Justiz wählen kann.

Um gerecht und wirksam zu sein, muß sich jede Neuordnung innerhalb der durch die Zielsetzung und Beschaffenheit gezogenen Grenzen des Objekts, das man besser machen will, bewegen. Außerhalb dieser Grenzen kommt jede Neuordnung einer Zerstörung gleich. Will man nun die Neuordnung des Kollegs der Chinesen, die so sein wird, wie der Senat es will, auf eine Formel bringen, so könnte man sagen:

Die Neuordnung des Kollegs der Chinesen, das gesetzlich zugelassen und für die Nation nützlich ist, muß in Übereinstimmung mit dem in den Stiftungsakten angegebenen Zweck und entsprechend den zeitgemäßen und nationalen Erfordernissen durchgeführt werden.

Schauen wir, wie dies mit der dem Ripa-Kolleg geschuldeten Gerechtigkeit und den Interessen der Nation gemäß realisiert werden könnte:

Die Zielsetzung des Ripa-Instituts, der gemäß die Neuordnung geschehen soll, ist, genau genommen, eine doppelte, eine innere und eine äußere. Erstere ist die Neugestaltung [*miglioramento*] des Instituts selbst, letztere die Ausweitung [*allargamento*] seines Wirkungskreises in Übereinstimmung mit dem Ziel und den heutigen Erfordernissen unseres Landes.

Die erste bedeutet:

Daß man dem Kolleg wieder zu seiner ursprünglichen Vitalität verhilft, indem man die Zahl der Jugendlichen wieder auf die in den Stiftungsakten vorgesehene Höhe bringt. Neben den theologischen Fächern für diejenigen, die Priester werden wollen, muß dem Studium der Naturwissenschaften, obwohl in China unbekannt, aber dennoch sehr geschätzt, ein breiter Raum zugebilligt werden. Zu Italienisch und Chinesisch müßten die Sprachen der Nachbarländer Chinas (Tibet, Korea und Japan) hinzugenommen werden zusammen mit Englisch, das in China Handelssprache ist.

Die zweite bedeutet:

1. Daß in China ein Kolleg zur Vorbereitung auf dasjenige von Neapel entstehen müßte; dort sollte Italienisch, Latein und Chinesisch gegeben werden, unter italienischer Direktion und von Lehrern, die früher selbst Alumnen in Neapel waren.[4] Von den Schülern würde man die zum Studium der Wissenschaften geeigneten auswählen und nach Italien schicken. Italien wäre das einzige Land, das ein italienisch-chinesisches Kolleg in China und ein weiteres chinesisches in Neapel hätte. Beide Institute nähmen eine Brükkenfunktion zugunsten bilateraler Beziehungen zwischen Italien und China wahr.
2. Daß das Ripa-Institut die Seelsorge bei den chinesischen Emigranten übernehmen müßte. Obwohl Auswanderung heute verboten ist, gibt es doch zwei zahlenmäßig sehr starke Kolonien in Amerika und Australien. In San Francisco leben viele Tausende Chinesen, die vom Kolleg der Chinesen in Neapel betreut wurden; später aber hat sich dann der Alumne Tommaso Ciam wegen der aktuellen Lage des Kollegs zurückgezogen. Diese Seelsorge müßte in großem Umfang wieder aufgenommen werden. In Australien gibt es 50 000 Chinesen. Als der Primas von Australien, Kardinal Moran, vor ungefähr zwei Jahren in Neapel war, bat er um wenigstens einen Priester des chinesischen Kollegs, aber die aktuelle Lage erlaubte es nicht, den Wunsch des illustren englischen Purpurträgers zu erfüllen. Unter veränderten Umständen könnte das Kolleg die beiden Kolonien betreuen und dabei Gelegenheit haben, die bisher schon guten Beziehungen unseres Landes mit Australien und Amerika noch intensiver zu gestalten.
3. Das Kolleg müßte eine koloniale Abteilung für das Apostolat unter den Einheimischen in unseren Kolonien haben. Fürs erste könnten die beiden Studienplätze der Borgia-Stiftung an Abessinien vergeben werden, da die anderen 32 den Apostolischen Vikaren Chinas sowie dem Episkopat der Türkei und Griechenlands gehören. In dieser Abteilung würde eine Schule zur Erlernung der abessinischen Sprache entstehen. Mit einem in Italien unentgeltlich ausgebildeten Klerus würde Abessinien für uns zu einer befreundeten Nation werden; es würde seinen Widerstand aufgeben und unsere Kultur annehmen. Mit der Zeit und einer effektiven Verwaltung könnte man weitere Studienplätze für die Kolonien schaffen.
4. Das Kolleg müßte die dem Institut seit Anfang seines Bestehens angegliederte Schule für gesprochenes und geschriebenes Chinesisch mit Hilfe chinesischer Lehrer unentgeltlich weiterführen. Damit wäre es eine Ergänzung [*ausiliare*] zum Königlichen Institut, mit echten Chinesischlehrern und zusätzlichem Personal für die praktischen Sprachübungen. Der Artikel 3 des Gesetzes könnte, insoweit er Chinesisch betrifft, effizient und sparsam mit Hilfe des Kollegs durchgeführt werden. Haben der Minister und

die Abgeordnetenkammer über die Entschädigung nachgedacht, die denen zusteht, die nach Italien kommen müssen, um den Lehrern bei den praktischen Übungen zu helfen und in den Konversationen ihre Sprache hören zu lassen.

So sieht die Neuordnung aus, die sich am wenigsten von der Gerechtigkeit entfernt und die den Interessen Italiens am meisten dient.

Mit einer derartigen Neuordnung würde das Ripa-Institut mit seinem Patrimonium den italienischen und chinesischen Kolonien helfen und zugleich die italienische Sprache verbreiten; der nationale Einfluß würde sich bis nach Amerika und Australien ausdehnen und in China noch intensiviert werden; das Kolleg könnte eine Ergänzung für das Königliche Kolleg sein. Das Ripa-Institut ist ein Apostolisches Kolleg, das aufgrund seines religiösen Apostolats unermeßliche Kulturgüter für die Nation hervorbringen kann. Die europäische Kultur, die Italien überall dorthin bringen will, wo sie noch fehlt, ist christlich, und an der Basis von Kultur und Christentum steht der Glaubensbote. Nur ein übertriebenes und intolerantes Vorurteil kann eine kulturschaffende Institution verurteilen, nur weil sie nicht weltlich [*laica*] ist. Aber die Menschen, die sich in einem engherzigen Exklusivismus davon leiten lassen, verdienen nicht, als Staatsmänner zu gelten, und die Völker sind zu bedauern, die die Geschicke des Vaterlands in deren Hände legen.

Wenn die Errichtung einer großen Sprachschule für unser Land notwendig und nützlich ist, so ist der Erhalt des Kollegs der Chinesen nicht weniger unentbehrlich, vorausgesetzt, daß es nach dem von uns vorgelegten Plan gestaltet wird. Italien ist ein Land, das die eine wie die andere Institution besitzen kann und soll. Das Ripa-Institut verfügt über die nötigen Mittel, man muß es nur entwickeln, ihm Impulse zur freien Entfaltung geben, es aus der Hand derer befreien, die es aus Bequemlichkeit und Inkompetenz verkommen lassen, überdies aus niederen Motiven an seinem Besitz nagen. Zunächst sollte man das verbessern, was vorhanden ist, und dann neu schaffen, was noch fehlt.

Wir hoffen, daß der Senat sich des Vertrauens der Nation würdig erweist; daß er sich zu den großen Idealen der Gerechtigkeit und des Wohls der Nation aufschwingt und die Bitte Matteo Ripas und Chinas erhört, die ihn um Hilfe für das Wohlergehen ihres geliebten Kollegs bitten. Sie vertrauen darauf, daß der Senat ihnen die erbetene Hilfe nicht verweigern wird; daß er anderen die unwürdige Rolle überläßt, kleinliche Berechnungen einer falsch verstandenen Sparsamkeit anzustellen; daß er das Kolleg der Chinesen bestehen und sich entfalten läßt gemäß seiner ursprünglichen, für unser Land sehr wichtigen Bestimmung; daß er ferner dem Land eine Sprachschule schenkt, die allgemeine Bewunderung weckt, ohne daß sie aus der schändlichen Zerstörung einer anderen Institution erwächst, die in Europa einzigartig ist und um die die Fremden uns beneiden.

Das Königliche Institut und das Kolleg der Chinesen stehen nicht im Gegensatz zueinander, sie können in ihren unterschiedlichen Ausrichtungen dem Wohl der Nation dienen, die beide unterstützen sollte. Anders zu handeln wäre antiliberal, ungerecht und antinational.

1. Die vom Minister zur Neuordnung des Kollegs ernannte Kommission schrieb von Florenz im Jahr 1867: „Die Kommission wurde, wie Euer Wohlgeboren [S.V.] ja weiß, beauftragt, zu untersuchen, welche Verbesserungen und Reformen im Kolleg der Chinesen, das in dieser Stadt existiert, eingeführt werden könnten, hat seine Arbeit beendet und die Ergebnisse vorgelegt. Schon in den Anweisungen, die der Kommission gegeben wurden, ließ das Ministerium die Absicht erkennen, die Natur und Eigenheit dieser Institution zu bewahren, die von Anfang an die kirchliche Mission zum Ziel hatte. Das Ministerium erkannte an, daß dies von Rechts wegen notwendig sei, um den Willen des Gründers nicht zu übergehen und die Bestimmung der dem Kolleg von Privatpersonen und römischen Päpsten gespendeten Geldern nicht zu verändern. Es betonte ferner, daß die italienische Regierung zweifellos großes Interesse an der Erhaltung der christlichen Missionen haben müßte, da diese noch immer sehr wirksame Instrumente eines wohltuenden Einflusses und der Zivilisierung seien.
Die Aufgabe also, die das Ministerium der Kommission stellte, war folgende: Wege aufzuzeigen, um aus dem Kolleg den größtmöglichen Nutzen für die allgemeine Bildung zu erzielen und mit seiner Hilfe die Beziehungen Italiens zum Fernen Osten besser zu fördern; dabei sollten Wesen und Natur des Kollegs bewahrt bleiben."

2. Zweiunddreißig Alumnen aufgenommen aufgrund päpstlicher Schenkungen, wie aus der Bulle Benedikts XIV. (mit Exequatur) und aus dem Schlußabschnitt der Bulle „Prae ceteris" von Pius VI. hervorgeht; zwei gehen auf das Konto des Marchese Borgia, Mitglied des Instituts, dem er zu diesem Zweck seine Güter vermachte.
Der Minister wirft dem Ripa-Institut vor, wenig Alumnen ausgebildet zu haben. Um auf diesen Vorwurf antworten zu können, müßte man die Archive des Kollegs, die sich alle im Ministerium befinden, zur Verfügung haben. Dann ließe sich feststellen, wie viele es aus China und den anderen Teilen des Orients gewesen sind, so ist das unmöglich. Aber man könnte fragen, wie viele der Minister in der Zeit seiner Verwaltung von 1863 bis 1888 abgeliefert hat, als aufgrund einer frommen Rücksichtnahme sechs Alumnen Gastfreundschaft gewährt wurde. Sie waren von Apostolischen Vikaren geschickt worden im guten Glauben, daß in Italien Gerichtsurteile noch einen Wert hätten. In neunzehn Jahren neun Alumnen des Ministers! Aber die statistischen Angaben des Ministers basieren auf falschen Daten und auf Gedächtnislücken.

Die ersteren sind die Unterstellungen:

1. Daß die Zahl von 34 Alumnen von 1724 an verpflichtend gewesen wäre; das war aber erst später der Fall, vorher galt die Zahl 8 und dann 16.
2. Daß die Mittel, die den Unterhalt möglich und verpflichtend machten, immer die gleichen gewesen wären; der Stiftungsfonds war jedoch lange Jahre sehr gering und wuchs erst an durch die späteren Schenkungen von Päpsten und Privatpersonen.

Der Minister hat vergessen:

1. Daß alle Alumnen der Türkei und Griechenlands zum mindesten ebenso viele waren.
2. Daß es während der ganzen Zeit der Kontinentalsperre [unter Napoleon von 1806 bis 1810] nicht möglich war, Studenten aufzunehmen.
3. Daß diese, um nach Italien zu kommen, das Kap der Guten Hoffnung umsegeln mußten. Dies war keine Reise, die man mit Dampfschiffen machte, und mit dem Aus der Gesellschaft von Ostende hörte auch die Erteilung der Berechtigungen für die freie Schiffspassage auf.
4. Daß zehn Jahre nicht ausreichen, um einen Chinesen in Europa entsprechend auszubilden.
5. Der Minister zeigt sich sehr beeindruckt von den Klagen, die im Abschlußbericht des Ministers für auswärtige Angelegenheiten von 1883 über die Alumnen erhoben werden. Er hat aber vergessen, daß das Kolleg von 1869 an total unter seiner Kontrolle stand, die mittels seiner Aufsichtsbeamten [*Conservatori*] in alles hineindirigierte; sie verfügten eine Neuordnung nach der anderen mit den entsprechenden Folgen. Der Minister erinnert sich auch nicht an das Urteil, das der von ihm entsandte Schulinspektor [*Provveditore*], der eine Lehrtätigkeit kontrollieren sollte, die er nicht bezahlte, über die damaligen Studenten von Neapel aussprach: es werde ihnen nur der Lebensunterhalt gewährt, aber keine Hilfsmittel für Unterricht und Erziehung; diese werden ihnen von der städtischen Karitas zur Verfügung gestellt, obwohl diese Ausländer doch ein ansehnliches Patrimonium in Italien besitzen.
6. Alle diese Umstände zusammen genommen zeigen, daß das Institut, wenn auch nicht das Mögliche, so doch viel und relativ mehr als der Minister getan hat.

3. Minister Coppino legt in seinem Bericht an die Kammer folgende Bilanz vor: Zur Zeit der Verwaltung durch die Regierung von 1871 bis 1886 schwankt die Bilanz zwischen dem Minimalbetrag von 82,952.17 Lire und dem Maximalbetrag von 132,197.15 Lire. Der Mittelwert der Einnahmen von 1871 bis 1886 einschließlich liegt bei 102,184.80 Lire.

Diesen Einnahmen müssen die Verpflichtungen [oneri] gegenübergestellt werden, die den Stiftungsfonds belasten und Dauercharakter haben; nach dem Durchschnitt des letzten Trienniums erreichen sie die Summe von 40,213.05 Lire. Das Königliche Institut wird durch die Übernahme des Stiftungsfonds demnach schätzungsweise 61,371.65 Lire einnehmen.

4. Einige der Alumnen des Kollegs, die keinen Beruf zum Klerikerstand hatten, leben in China als Lehrer für Zeichnen, Musik usw. In Shanghai ist einer von ihnen im italienischen Konsulat beschäftigt.

Raffaele De Martinis

Dokument 4
Denkschrift vom 3. April 1886

Bei der fortschreitenden Entwicklung unserer Beziehungen zu Asien und Afrika hat sich in Deutschland in neuerer Zeit ein vermehrtes Bedürfnis nach Erweiterung der Kenntnis der Sprachen des Orients und Ostasiens, und zwar sowohl im Interesse des Dolmetscherdienstes als auch für andere Berufszweige, dringend fühlbar gemacht.

Es ist in Aussicht genommen, dasselbe nach Analogie der in Wien und Paris bestehenden orientalischen Sprachschulen durch eine ähnliche Einrichtung in Deutschland zu befriedigen und zu diesem Zweck bei der hiesigen Königlichen Friedrich-Wilhelms-Universität ein Seminar für Orientalische Sprachen in das Leben zu rufen.

Die Errichtung des Seminars ist als preußische Einrichtung, jedoch unter Betheiligung des Reichs, beabsichtigt. Für eine hierüber zwischen dem Reich und Preußen zu treffende Vereinbarung sind die hier angeschlossenen „Grundlagen“ aufgestellt worden. Danach soll die Aufgabe des Seminars sich auf theoretische Vorträge und praktische Übungen in den lebenden sechs Hauptsprachen des Orients und Ostasiens (Türkisch, Arabisch, Persisch, Japanisch, Chinesisch und Indische Idiome) erstrecken. Für jede Sprache wird ein mit den Landesverhältnissen und der Landessprache vertrauter deutscher Lehrer bestellt und demselben ein aus den Eingeborenen des Landes entnommener Assistent beigegeben.

Dabei wird, um die Frequenz des Seminars zu fördern, die Unentgeltlichkeit der Kurse als Regel aufgestellt und gleichzeitig die Errichtung von Stipendien in Aussicht genommen.

Die Organisation des Seminars und die Verwaltung desselben soll durch das Königlich Preußische Ministerium der geistlichen pp. Angelegenheiten, jedoch unter ständiger Mitwirkung des Auswärtigen Amts erfolgen.

Die Kosten des Seminars werden nach einem sorgfältig geprüften Anschlage im Ordinarium jährlich über den Höchstbetrag von 72 000 Mark, im Extraordinarium - für die erste Einrichtung - über die Summe von 40 000 Mark nicht hinausgehen.

Zu dieser preußischen Einrichtung soll das Reich, bei seinem wesentlichen Interesse an der Sache, einen Beitrag in Höhe der Hälfte mit der Maßgabe leisten, daß derselbe, vorbehaltlich künftiger anderweiter [sic] Vereinbarung, im Extraordinarium 20 000 Mark, im Ordinarium 36 000 Mark nicht überschreiten darf.

Nachdem das Königlich Preußische Staatsministerium in der abschriftlich angeschlossenen Erklärung seine Zustimmung zu den vorstehenden Grundlagen einer bezüglichen Vereinbarung zwischen dem Reich und Preußen ausgesprochen hat, wird nunmehr in dem gegenwärtigen Gesetzentwurf laut §1 für den Reichskanzler die Ermächtigung erbeten, mit Preußen die Vereinbarung wegen Errichtung des Seminars abzuschließen, und darin einen Kostenbeitrag in Höhe der Hälfte bis zu den obigen Maximalgrenzen zuzusichern. Nach § 2 sollen die vom Reich auf Grund dieses Gesetzes zu verwendenden Beträge alljährlich in den Etat aufgenommen werden.

In dem von dem preußischen Landtag inzwischen genehmigten Etat des Ministeriums der geistlichen pp. Angelegenheiten für 1887/88 ist bereits eine für das nächste Etatjahr im Ordinarium auf 57 000 Mark, im Extraordinarium auf 35 000 Mark bemessene Summe für das zu errichtende Seminar unter der Voraussetzung des Zustandekommens der Verständigung zwischen dem Reich und Preußen wegen des zu gewährenden Reichszuschusses ausgebracht.

Dokument 5

Ministerialverfügung vom 5. August 1887

Bekanntmachung, betreffend das Seminar für Orientalische Sprachen an der Königlichen Friedrich-Wilhelms-Universität zu Berlin.

Im Einvernehmen mit dem Auswärtigen Amt wird hierdurch bekannt gegeben, was folgt:

I. Die Eröffnung des Seminars für Orientalische Sprachen wird am 18. Oktober d. J. in den demselben mit Allerhöchster Ermächtigung einstweilen überwiesenen Räumen der s. g. Alten Börse, C. Lustgarten 6, stattfinden.

Die Direktion desselben ist dem ordentlichen Professor an der hiesigen Universität und Mitglied der Akademie der Wissenschaften hierselbst, Dr. Karl Eduard Sachau, kommissarisch übertragen.

II. Mitglieder des Seminars können sowohl künftige Aspiranten für den Dolmetscherdienst des Auswärtigen Amts als auch Angehörige sonstiger Berufsstände werden, sofern sie den erforderlichen Grad geistiger und sittlicher Reife besitzen.
Meldungen zum Eintritt sind unter Beifügung der Zeugnisse und eines Lebenslaufs an den kommissarischen Direktor des Seminars, Professor Dr. Sachau, (W. Hitzigstraße 7) [jetzt W. Wormserstraße 12] zu richten.

III. Bezüglich des Lehrplans gelten nachstehende Bestimmungen:

1. Der Unterricht umfaßt folgende Sprachen: Chinesisch, Japanisch, Hindustani, Arabisch, Persisch, Türkisch und Suaheli.
   In Verbindung mit dem sprachlichen Unterricht werden auch die Realien der betreffenden Sprachgebiete, insbesondere Religion, Sitten und Gebräuche, Geographie, Statistik und neuere Geschichte, behandelt.
2. Das Ziel des Unterrichts ist:
   a) Kenntnis der Grammatik und desjenigen Teils des Wortschatzes, welcher im täglichen, mündlichen wie schriftlichen, Verkehr am meisten zur Anwendung kommt;
   b) Übung im mündlichen und schriftlichen Gebrauch der Sprache;
   c) Bekanntschaft mit den am häufigsten vorkommenden Schriftstücken öffentlichen und privaten Charakters;
   d) bezüglich der Realien: Vermittelung des Verständnisses für Land und Leute.
3. Für jede Sprache wird ein besonderer Lehrkursus eingerichtet, welcher den theoretischen Unterricht mit praktischen Übungen in der Art verbindet, daß regelmäßig der erstere durch deutsche Lehrer, die letzteren durch eingeborene Lektoren erteilt werden.
4. In jedem Kursus wird während der Dauer des Semesters der Regel nach täglich 3 Stunden Unterricht gegeben. Die Stunden werden vorzugsweise des Morgens bis 10 und des Abends nach 6 Uhr gehalten.
   Während der Ferien wird, soweit tunlich, für diejenigen Teilnehmer, welche es wünschen, der Unterricht in geeigneter Weise (durch Wiederholung des Erlernten, Sprechübungen u. s. w.) fortgeführt.
5. Der Kursus dauert: 6 - 8 Semester für das Chinesische, 6 Semester für das Japanische, je 4 Semester für Hindustani, Arabisch, Persisch und Türkisch, 2 Semester für Suaheli.
6. Mit Beginn jeden Winter-Semesters wird für jede Sprache, sofern ein Bedürfnis vorliegt, ein neuer Kursus eröffnet.

7. Die Zahl der Teilnehmer an einem Kursus darf in der Regel nicht mehr als 12 betragen.
   Teilnehmer, die es an dem erforderlichen Fleiß fehlen lassen, können auf Antrag des betreffenden Lehrers durch Verfügung des Direktors von dem Kursus ausgeschlossen werden.
8. Die Kurse sind für unbemittelte deutsche Teilnehmer unentgeltlich. Wegen der Bewerbung um Stipendien bleibt weitere Bestimmung vorbehalten.

IV. Beim Ausscheiden aus dem Seminar erhält jedes Mitglied auf seinen Wunsch ein schriftliches Zeugnis über die erlangten Kenntnisse.
Zu den Prüfungen, welche regelmäßig am Schlusse der einzelnen Kurse stattfinden, werden nicht nur die Mitglieder des Seminars, sondern in gleicher Weise auch solche Kandidaten zugelassen, welche ihre Studien an anderen deutschen Universitäten gemacht haben. Künftige Aspiranten für den Dolmetscherdienst des Auswärtigen Amts, welche eine solche Prüfung bestanden haben und auch im übrigen allen Bedingungen und Anforderungen entsprechen, haben Aussicht, bei eintretenden Vakanzen, vor anderen Aspiranten berücksichtigt zu werden.

V. Zur Erteilung jeder weiteren Auskunft ist der kommissarische Direktor des Seminars, Professor Dr. Sachau, (W. Hitzigstraße 7) [jetzt W. Wormserstraße 12], auf mündliche wie schriftliche Anfragen gern bereit.

Berlin, den 5. August 1887

Der Königlich Preußische Minister der geistlichen,
Unterrichts- und Medizinal-Angelegenheiten.
[Gustav] von Goßler

Dokument 6

Verzeichnis der Vorlesungen usw. für Winter 1887/88

Chinesisch, täglich 1 Stunde für jede der beiden Parallelklassen, die eine von 8-9 Uhr, die andere von 9-10 Uhr vormittags, Herr Prof. Arendt.

Chinesische Landeskunde, für die vereinigten beiden Klassen, Dienstag und Freitag abends 6-7 Uhr, Herr Prof. Arendt.

Praktische Übungen im Chinesischen mit besonderer Berücksichtigung des Nordchinesischen, Montag, Mittwoch, Donnerstag abends 6-8 Uhr, Dienstag und Freitag abends 7-8 Uhr, Herr Kuei Lin.

Praktische Übungen im Chinesischen mit besonderer Berücksichtigung des Südchinesischen, Montag, Mittwoch, Donnerstag abends 6-8 Uhr, Dienstag, Freitag abends 7-8 Uhr, Herr Pan Fei Shing.

Japanisch, Montag, Dienstag, Mittwoch, Donnerstag, Freitag vormittags 8-9 Uhr, Herr Dr. Lange.

Landeskunde von Japan, Mittwoch vormittags 9-10 Uhr, Sonnabend vormittags 8-9 Uhr, Herr Dr. Inouyé.

Japanische Übungen, Montag, Dienstag, Donnerstag, Freitag abends 6-8 Uhr, Herr Dr. Inouyé.

Hindustani, Montag, Dienstag, Donnerstag, Freitag vormittags 8-9 Uhr, Herr F. Rosen.

Landeskunde von Indien, Mittwoch, Sonnabend vormittags 8-9 Uhr, Herr F. Rosen.

Hindustani Übungen, Montag, Donnerstag abends 6-7 Uhr, Herr F. Rosen.
Arabisch, täglich 1 Stunde für jede der beiden Parallelklassen, die eine von 8-9 Uhr, die andere von 9-10 Uhr, vormittags, Herr Prof. Hartmann.

Landeskunde der arabischen Sprachgebiete, erster Teil, für die vereinigten beiden Klassen, Montag und Donnerstag abends 6-7 Uhr, Herr Prof. Hartmann.

Praktische Übungen im Arabischen mit besonderer Berücksichtigung des Dialekts von Ägypten, Montag und Donnerstag abends 7-8 Uhr und Dienstag, Mittwoch, Freitag 6-8 Uhr, Herr Hasan Taufik.

Praktische Übungen im Arabischen mit besonderer Berücksichtigung des Dialekts von Syrien, Montag und Donnerstag abends 7-8 Uhr und Dienstag, Mittwoch, Freitag 6-8 Uhr, Herr A. Maarbes.

Persisch, täglich vormittags 9-10 Uhr, Herr Dr. Andreas.

Persische Landeskunde, Montag und Donnerstag abends 6-7-Uhr, Herr Dr. Andreas.

Persische Übungen, Dienstag und Freitag abends 6-7 Uhr, Herr F. Rosen.

Türkisch, täglich 8-9 Uhr, Herr Dr. Andreas.

Türkische Übungen, Dienstag, Freitag abends 6-7 Uhr, Herr Dr. Andreas.

Landeskunde der Türkei und Kleinasiens, Montag, Donnerstag abends 6-7 Uhr, Herr Dr. Moritz.

Suaheli, Montag, Dienstag, Donnerstag, Freitag vormittags 8-9 Uhr, Herr Missionsinspektor Büttner.

Suaheli Übungen, Montag, Dienstag, Donnerstag, Freitag abends 6-7 Uhr, Herr Missionsinspektor Büttner.

Geographie des südlichen Afrika, Mittwoch, Sonnabend vormittags 8-9 Uhr, Herr Missionsinspektor Büttner.

Außerdem wird beabsichtigt, einstündige öffentliche Vorträge über orientalische Gegenstände von allgemeinem Interesse an einzelnen Sonnabenden des Abends zu veranstalten. Eine nähere Mitteilung hierüber wird späterhin bekannt gemacht werden.

Berlin, den 24. Oktober 1887.

Der kommissarische Direktor
Prof. Dr. Sachau.

FACSIMILE

I. Bulle „Misericordia Dei“ Papst Benedikts XIV. vom 6. Oktober 1747, dank derer das in Neapel errichtete Kolleg der Hl. Familie Jesu Christi von den mit der Benediktinerabtei des hl. Petrus von Eboli in der Diözese Salerno gekoppelten obligatorischen Regelzahlungen und finanziellen Abgaben befreit worden ist. Kopie der Bulle aus: ASVat / ASS, anno 1889, Rubr. 280, 21-24.

II. Das für die Bulle „Misericordia Dei“ erbetene königliche *Exequatur*. Kopie aus: ASVat / ASS, anno 1889, Rubr. 280, 25f.

III. Auszug aus der Bulle „Proe ceteris“ Papst Pius' VI. vom 23. Juli 1775, derzufolge 32 Alumnen in das Kolleg aufzunehmen, zu unterhalten und auszubilden waren. Kopie aus: ASVat / ASS, anno 1889, Rubr. 280, 26f.

IV. Petition der Apostolischen Vikare Chinas und des Episkopats der türkischen Regionen an den Präsidenten des italienischen Senats, eingereicht am 18. Januar 1888 von Domenico Jacobini, Titularerzbischof von Tyros und Sekretär der *Propaganda*-Kongregation. Kopie aus: ASVat / ASS, anno 1889, Rubr. 280, fol. 229rv.

V. Abänderungsvorschläge und Ergänzungen zu einzelnen Artikeln des Gesetzentwurfs, den eine aus fünf Senatoren bestehende Kommission erstellt hat. Kopie aus: ASVat / ASS, anno 1889, Rubr. 280, fol. 230r.

VI. Rundschreiben des Kardinal-Staatssekretärs Mariano Rampolla Del Tindaro vom 11. Januar 1889 an die Apostolischen Nuntiaturen zum Gesetz über die Umwandlung des Kollegs der Chinesen zu Neapel in ein Philologisches Institut. Kopie aus: ASVat / ASS, anno 1889, Rubr. 280, fol. 191r-194v.

VII. Luigi Rotelli, Apostolischer Nuntius in Frankreich, an Kardinal-Staatssekretär Rampolla, Paris, den 17. Januar 1889. Kopie aus: ASVat / ASS, anno 1889, Rubr. 280, fol. 219rv.

VIII. Erlaß des Staatsministers des königlich-bayerischen Hauses und des Äußeren, Christoph Krafft Freiherr von Crailsheim, an den bayerischen Gesandten beim Päpstlichen Stuhl, Anton Freiherrn von Cetto, bezüglich der Umwandlung des Chinesischen Kollegs zu Neapel in ein Institut für asiatische und afrikanische Sprachen.

IX. Überblick über die Alumnen, die im Collegium Sinicum zu Neapel ihre theologische Ausbildung erhalten haben.

DOKUMENTE I-III

I.

Copia della Bolla MISERICORDIA DEI di Bened. XIV e dell'exequatur concesso.

Collegium Sacrae Familiae Iesu Christi Neapoli institutum liberat a pensione adnexâ Abbatiae S. Petri de Eboli Salernitanae dioecesi eidem Collegio unitae, seu uniendae cum primum vacaverit; cum onere tamen in Collegio alendi nonnullos adolescentes advocandos ex Epiro aliisque locis Turcarum ditione subiectis, atque ita ut, per acta unione Abbatiae, in eo alantur octo adolescentes ex Sinis et Indiis Orientalibus, octo vero ex eâdem Turcarum ditione assumendos.

Bened. XIV etc.

Misericordiâ Dei miserantis sacri Apostolatus ministerio, meritis licet imparibus, superna dispositione illius qui debilibus adauget vires praesidentes, libenter intendimus ad ea, quae per collegia pro alumnis gentium et nationum in tenebris et in umbrâ infidelitatis sedentium christianâ religione literis, ecclesiastica disciplinâ, bonisque moribus imbuendis instituta et fundata eorumque incrementa promoventur, eaque illis favorabiliter concedimus, quae ipsorum Collegiorum exigentiis et necessitatibus, ut novorum onerum impositionem subire et congrue perferre valeant fore conspicimus opportuna.

§. 1. Dudum siquidem nos, ad consulendum necessitatibus Collegii Sacrae Jesu Familiae nuncupati in civitate Neapolitana, pro pueris et adolescentibus Sinensibus et Indianis instituti et fundati, eidem Collegio curâ conventuque carens monasterium Abbatiam nuncupatum S. Petri de Ebumbo seu Eboli Ordinis S. Benedicti Salernitanae dioecesis, quod dilectus filius noster Marius, tunc unus ex causarum palatii nostri apostolici auditoribus, nunc vero tituli S. Priscae presbyter Cardinalis Millini nuncupatus, in commendam ad sui vitam ex concessione Apostolicâ tunc obtinebat, prout ex simili concessione et dispensatione apostolicâ adhuc obtinet de praesenti, quodque in similem commendam ex pari concessione apostolicâ ad vitam obtineri censuerit, ex tunc videlicet et cum primum monasterium praedictum, illius commendâ huiusmodi ex personâ dicti Marii, nunc Cardinalis, quovis modo cessante vacare contigisset, cum annexis quibuscumque ac omnibus et singulis dicti monasterii bonis, rebus, proprietatibus, iuribus et pertinentiis, nec non quisbusvis illius fructibus, redditibus, proventibus, obventionibus et emolumentis universis, *donec tamen et quousque praefatum Collegium in*

— 22 —

eadem civitate Neapolitana exitisset, cum hoc tamen quod ipsum Collegium et pro eo quondam, tunc in humanis agens, Matthaeus Ripa et dum viveret eiusdem Collegii rector, reservationi, constitutioni et assignationi infrascriptae pensionis annuae tunc per nos reservandae consentire omnino teneretur, apostolicâ auctoritate univimus, anneximus et incorporavimus, ipsumque Collegium ab annatarum, quindenniorum, communium, minutorum, aliorumque iurium Camerae nostrae Apostolicae, ac etiam vener. fratribus nostris S. R. E. Cardinalibus, et dilectis etiam filiis Romanae Curiae et Cancellariae nostrae Apostolicae officialibus de annatis, quindenniis, communibus, minutis et aliis iuribus huiusmodi quomodolibet participantibus, eorumque respective collegiis ratione unionis huiusmodi debitorum solutione et praestatione dictâ apostolica auctoritate exemimus et liberavimus, prout in nostris desuper confectis litteris plenius continetur.

§. 2. Postmodum vero volentes dictam pensionem constituere, ut Collegium praedictum illius onus tamdiu perferret, quamdiu memoratae unionis commodum sensisset et utilitatem, motu proprio et ex certâ scientiâ, merâque deliberatione nostris, deque Apostolicae potestatis plenitudine super omnibus et singulis dicti monasterii fructibus, redditibus, proventibus, iuribus, obventionibus et emolumentis universis, certis et incertis, ex tunc videlicet et cum primum unio praedicta suum sortita fuisset effectum, pensionem annuam quingentorum ducatorum monetae regni Neapolitani pro personâ seu personis per nos seu Romanum Pontificem pro tempore existentem quandocumque nominandâ seu nominandis, eâdem apostolicâ auctoritate reservavimus, constituimus et assignavimus./Volentes et intendentes quod in eventum, in quem pensio huiusmodi in toto vel in parte cessasset, vel alias quomodolibet extincta fuisset, ac quoties durante unione praedicta cessationis seu extinctionis huiusmodi casus evenisset, toties aliae personae ecclesiasticae seu aliis personis ecclesiasticis alia pensio seu aliae pensiones annuae cessatae vel extinctae similes usque ad ratam, cessatam vel extinctam huiusmodi a nobis seu Romano Pontifice pro tempore existente, quousque unio praedicta perdurasset, de novo reservaretur, aut reservarentur, prout in schedula motus proprii nostri desuper manu nostrâ signatâ etiam plenius continetur.

§. 3. Nunc vero unione praedictâ effectum suum nondum, ut accepimus, sortitâ, praedictum Collegium, a quo uberiores in dies fructus promanaturos fore confidimus, praesertim si alumnorum numerus in eo adaugeatur, iique ex aliis etiam admittantur nationibus, ex illis praecipue quae missionariorum operâ magis indigere videntur, amplioris gratiae favore prosequi volentes, / ipsiusque rectorem, singulosque alios ministros, et alumnos a quibusvis excommunicationis, suspensionis et interdicti, aliisque ecclesiasticis sententiis, censuris, et poenis a iure vel ab homine quavis occasione vel causa latis, si quibus quomodolibet innodati existunt ad effectum praesentium dumtaxat consequendum harum serie absolventes, /et absolutas fore censentes, / nec non literarum et schedulae nostrarum praedictarum respective tenores ac datas praesentibus pro expressis habentes, / motu, scientia et potestatis plenitudine similibus, pensionem praedictam illiusque reservationem, constitutionem et assignationem huiusmodi, dictâ apostolicâ auctoritate, earumdem tenore praesentium, in perpetuum, penitusque et omnino cassamus extinguimus et annullamus, /et cassatam, extinctam et annullatam esse et fore, ac una cum dicti monasterii fructibus, redditibus et proventibus praedictis

— 23 —

consolidatam remanere volumus et decernimus, eximentes pari modo et perpetuo liberantes praedictum Collegium a solutione et praestatione annatarum et quindenniorum, communium et aliorum iurium praedictorum, etiam quoad pensionem cassatam, et extinctam praedictam, quatenus ratione cassationis, et extinctionis huiusmodi ipsum Collegium ad solutionem et praestationem praedictam teneri, et obligatum existere ullo unquam tempore dici vel censeri posset.

§. 4. Volentes autem ut huiusmodi cassatio, extinctio et annullatio pensionis praedictae sacrarum missionum bono, imo orthodoxae Religionis incremento et profectui cedat; Collegio praedicto et Congregationi dilectorum similiter filiorum modernorum et pro tempore existentium superioris et presbyterorum secularium eiusdem Sacrae Iesu Familiae, *sub cuius Congregationis gubernio, regimine, directione et administratione praedictum Collegium reperitur, sequentia onera infrascriptasque leges, et obligationes eis a Congregatione eorumdem ven. fratrum nostrorum S. R. E. Cardinalium negotiis de Propaganda Fide praepositorum proposita* et propositas, ac quae et quas praedicti moderni superior et presbyteri saeculares praedictae Congregationis eiusdem Sacrae Iesu Familiae capitulariter congregati sub spe atque intuitu cassationis et extinctionis supradictae pensionis earum Congregationis praedictae dictique Collegii respective nomine, sicut similiter accepimus, iam solemni actu acceptarunt, ac supportare et respective adimplere parati existunt, eâdem apostolica auctoritate in perpetuum imponimus, praescribimus et iniungimus; nimirum:

I. Quod dictum Collegium ex nunc deinceps, etiam unione praedictâ effectum suum minime sortitâ, *ad ipsius Congregationis de Propagandâ Fide beneplacitum recipere et admittere debeat quatuor alumnos ex Vallachiâ, et Bulgariâ, ac Serviâ, et Epiro,* qui ad dictum Collegium propriis expensis accedere teneantur.

II. Quod ad dictum Collegium advocentur alii alumni Sinenses et Indiani ante quam unio praedicta suum effectum sortiatur, idem Collegium expensas pro eorum accessu necessarias subire debeat.

III. Quod ubi primum unio praedicta effectum suum sortita fuerit, idem Collegium augere debeat numerum alumnorum ex praedictis quatuor nationibus, vel ex aliis similibus Turcarum tyrannidi subiectis, usque ad octo *comprehensis quatuor praedictis ad nominationem dictae Congregationis de Propagandâ Fide* ex nunc recipiendis.

IV. Quod Alumni Sinenses et Indiani ad octo dumtaxat reducantur, ita ut integer numerus alumnorum tam Sinensium et Indianorum, quam aliarum praedictarum nationum turcicae tyrannidi subiectarum, ad sexdecim ascendat, qui omnes sumptibus dicti Collegii alantur *sub gubernio, regimine et directione Congregationis Sacrae Iesu Familiae praedictae.* Si vero ullo unquam tempore contingat ex quacumque causâ, ut praedictus numerus alumnorum Sinensium et Indianorum in toto vel in parte haberi nequeat, congruo tempore elapso datisque commissionibus *per ipsam Congregationem de Propaganda Fide suis procuratoribus, seu aliis ministris in illis regionibus commorantibus* praestandi operam, auxilium et favorem pro expeditione alumnorum huiusmodi, quae quidem commissiones dare debeant ad requisitionem superiorum ipsius Congregationis Sacrae Iesu Familiae praedictae; tunc et eo casu, eisdem deficientibus alumnis

— 24 —

in toto vel in parte, substitui debeant totidem alumni ex conterminis provinciis, regnis et regionibus orientalibus Asiaticis, ut supra, assumendi.

V. Demum quod expensae necessariae pro accessu, et recessu praedictorum octo alumnorum Sinensium et Indianorum, aut ex aliis nationibus orientalibus Asiaticis, ut praefertur, assumendorum fieri debeant a praedicto Collegio: item per dictum Collegium fieri debeant expensae pro recessu, aliorum octo alumnorum dictarum quatuor nationum aut aliarum Turcarum tyrannidi subiectarum, qui propriis expensis accedere teneantur.

§. 5. Quo circa easdem praesentes nullo unquam tempore de subreptionis, vel obreptionis, aut nullitatis vitio seu intentionis nostrae, aut alio quovis defectu notari vel impugnari aut alias quomodolibet infringi seu invalidari, aut ad vim et terminos iuris reduci seu in ius vel controversia vocari, aut adversus illas quodcumque iuris vel facti, aut gratiae vel iustitiae remedium intentari, impetrari, vel concedi nullatenus unquam posse, sed illas a Collegio et Congregatione Sacrae Iesu Familiae praedictis ac ab omnibus et singulis aliis, quo illi concernunt et concernent quomodolibet in futurum firmiter et inviolabiliter observari et adimpleri debere; sicque ab omnibus censeri, et ita per quoscumque iudices ordinarios vel delegatos, quavis auctoritate fungentem, etiam causarum palatii apostolici praedicti auditores ac eiusdem S. R. E. Cardinales, etiam de latere Legatos, Vice-legatos, et Sedis Apostolicae Nuntios, sublata eis et eorum cuilibet quavis aliter iudicandi et interpretandi facultate et auctoritate, iudicari et definiri debere; et si secus super his a quoquam quavis auctoritate scienter vel ignoranter, contigerit attentari, irritum et inane decernimus.

§. 6. Non obstantibus dicti Collegii, quatenus in aliquo obstent, fundatione et erectione; nec non etiam iuramento, confirmatione apostolica, vel quavis firmitate alia roboratis statutis et consuetudinibus, ultimisque testantium aut alias pie disponentium voluntatibus, privilegiis quoque indultis, et literis apostolicis eidem Congregationi Sacrae Iesu Familiae praedictae, illiusque ac aliis quibuslibet superioribus et personis in contrarium praemissorum quomodolibet forsan concessis, approbatis, confirmatis et innovatis, omnibusque et singulis, aliisque quae in praedictis nostris literis voluimus non obstare, ceterisque contrariis quibuscumque.

§. 7. Nulli ergo omnino hominum liceat hanc paginam nostrae absolutionis, cassationis, extinctionis, annullationis, consolidationis, exemptionis, liberationis onerum et legum, impositionis, praescriptionis, iniunctionis, derogationis et voluntatis infringere, vel ei ausu temerario contraire. Si quis autem hoc attentare praesumpserit, indignationem omnipotentis Dei ac BB. Petri et Pauli Apostolorum eius se noverit incursurum.

Datum Romae apud S. Mariam Maiorem anno Incarnationis Dominicae millesimo septingentesimo quadragesimo septimo. Pridie nonas octobris Pontific. nostri anno octavo.

— 25 —

II.

Dimanda della Congregazione della Sacra Famiglia per ottenere l'exequatur alla Bolla Misericordia Dei *di Bened. XIV, con la quale si abolisce la pensione di ducati 500 e s' impongono altri oneri al Collegio.*

S. R. M.

La Cong. della sacra Famiglia di Gesù, appellata volgarmente de' Cinesi umilia a V. M. la Bolla, colla quale l'è stata da S. S. rimessa la pensione degli annui ducati cinquecento, riservata nella perpetua commendazione o unione dell'Abazia di S. Pietro di Eboli, ottenuta dalla calda intercessione di V. M. dal Sommo Pontefice, e vivamente La supplica di ordinare che sia in questo regno eseguita, perchè possano restar adempite le condizioni a detta remissione aggiunte, et avrà ut Deus.

Copia dell' exequatur conferito.

S. R. M.

« Ho veduto una Bolla sub plumbo, dalla quale rilevasi: Che avendo Sua Santità al Collegio della Sagra Famiglia di Gesù istituito e fondato in questa Città per i Fanciulli e Giovanetti Cinesi ed Indiani, unito il Monistero chiamato Abbadia di S. Pietro di Ebumbo seu Eboli da aver luogo dopocchè ex persona di Mons. allora oggi Card. D. Mario Mellino possessore vacato fosse, e fintantocchè esistesse in questa Città tal Collegio, colla condizione però, che il medesimo o per esso Matteo Ripa allora Rettore di esso avesse dovuto consentire all' infrascritta pensione, liberandolo da tutti i pesi, annate, quindennii, communi, minuti, ed altri dritti spettanti alla Cam. Apostolica, ai Cardinali, ed Ufficiali della Corte Romana e della Cancellaria: Costitui indi sopra i frutti di d. Badia un' annua pensione di D. 500. Napoletani da pagarsi durante l' unione per le persone dal Som: Pontef: pro tempore nominande, colla condizione che cessante in tutto o in parte tal pensione si avessero dal Som: Pontef: potuto imporre nuove pensioni sino alla sud. summa di D. 500 durante però l' unione: E siccome la stessa unione non ha avuto ancora effetto: Così Sua San: colla presente Bolla cessa ed estingue la d. pensione, e la consolida colla Badia senzacchè perciò sia il Collegio tenuto a detti pesi coll' infrascritte leggi ed obblighi però *prescritti della Congregazione de Propaganda* e già capitolarmente accettate dal Superiore e Sacerd: Secolari della Cong. della Sagra Famiglia in nome della stessa Cong. e di d. Collegio. 1. Che il Collegio istesso da ora in appresso ancorchè l' unione sud. non abbia avuto effetto, debba *a beneplacito di d. Cong. de Propaganda* ammettere e ricevere quattro alunni della Vallacchia, Bulgaria, Servia ed Epiro, i quali siano tenuti a proprie spese portarsi in esso Collegio. 2. Che al med. siano chiamati altri alunni Cinesi ed Indiani pria di aver l'effetto l' unione, debba far le spese necessarie per il di loro accesso. 3. Che subito di aver avuto effetto l' unione debba accrescere ad otto il num. degli alunni di dette quattro Nazioni, o di altre simili soggette alla tirannide Turchesca

— 26 —

compresi i detti quattro da ora recipiendi a nomine di *detta Cong. de Propaganda*. 4. Che gli alunni Cinesi ed Indiani si riducano ad otto, in manieracchè tutti gli alunni così di queste come dell'altre sudette Nazioni ascendano al numero di sedici che si alimentino a spese del Collegio *sotto il governo e la direzione della Cong. della Sacra Famiglia*, ed accadendo di non potersi per qualunque cagione avversi in tutto o in parte il numero degli Alunni Cinesi ed Indiani dopo esser scorso congruo tempo, e date le Commissioni *da detta Cong. de Propaganda* ai suoi Procuratori e Ministri ivi dimoranti di facilitare la spedizione di detti alunni, le quali commissioni, devono darsi à richiesta de' Superiori della Cong. della Sagra Famiglia, in tal caso debbano sostituirsi altrettanti alunni dalle vicine Provincie, Regni, e Regioni orientali ed Asiatiche. E finalmente che le spese per l'accesso e recesso degli alunni Cinesi ed Indiani e dell'altre Nazioni orientali Asiatiche debbano farsi da d. Collegio e similmente debba far le spese per il recesso degli otto alunni di dette quattro Nazioni, e delle altre soggette alla Tirannide Turchesca: non ostante qualunque Costituzione apostolica in contrario: Come da detta Bolla spedita in Roma pridie Nonas 8bris (1747): Sopra della quale si è supplicata V. M. per lo R. exequatur. Per tanto veduto e considerato l'affare, inteso in ciò il parere del R. Cons. D. Onofrio Scassa mio Ord. Consig. Son di voto: Che V. M. può degnarsi concedere su detta Bolla il R. exeq. per costare da Registri di questo Officio essersi V. M. degnata per la Regal. Cam. di S. Chiara sotto il dì 5 Xbre 1743. accordare il R. exeq: su la Bolla di sopra espressata ottenuta dalla sud. Cong. E questo ecc. Napoli a 25 Marzo 1756: colle condiz. in esse apposte.

Di V. M. Umo S. e Cappellano

NICOLA V. *di Pozzuoli*.

III.

Particola della Bolla di Pio VI che conferma le disposizioni dei predecessori sulla destinazione dei beni elargiti al Collegio dei Cinesi di Napoli; che stabilisce il numero degli alunni dover essere 32.

« Praeterea praecipimus et mandamus quod ubi primum monasterii secundodicti commenda cessante et unioni huiusmodi locus factus fuerit, praeter numerum sexdecim alumnorum a Ben. Praed. ut praefertur constitutum ex iuxta utramque dicti Clementis ordinationem aliorum videlicet duodecim quorum decem Sinens. et Indi forent, reliqui vero duo ex aliis Turcarum dominio subiectis nationibus adscisci posset, deinceps alii quatuor sinenses alumni ad idem collegium admitti debeant; ita quod illud ex *triginta duobus* constet et constare debeat alumnis, quibus regulis, directione et gubernio dictorum Presbyterorum congregationis praedictae servatis iisdem regulis et constitutionibus alias ab apostolica sede approbatis, in illud recipi, ac in eo ali et sustentari ac educari, et erudiri debeant per integrum consuetum tempus, iisdem prorsus modo et forma, prout antea primaevi dicti Collegii alumni etiam quoad sumptus in itineribus impendendos e patriis regionibus ducti et ad eas reducti fuere. Ita quoque statuimus et man-

— 27 —

damus quod ex redditibus ipsius collegii post secutum huius novae unionis effectum tres missionarii alantur, qui iuxta instructionem a dicta Congregatione de Propaganda Fide eis tradendam iniunctum ipsis apostolicum munus in Sinarum dominio exequi valeant et teneantur.

Ac praeterea expresse sancimus quod dicti moderni et pro tempore existentes ipsius *Collegii Superiores et Presbyteri eidem Congregationi de Propaganda Fide propter dependentiam supra enunciatam de adimplemento praemissorum, numero nimirum, educatione et profectu alumnorum; de statu oeconomico Collegii, ac alias in omnibus et per omnia ad quemcumque nutum parentes, rationem sint reddituri et reddere teneantur.* Insuper indemnitati dicti Collegii consulere volentes et attendentes quod illud a dicta Congregatione dependet ut praecipitur, Collegium illud ab annatarum, quindenniorum, communium, minutorum, aliorumque iurium camerae apostolicae et etiam S. R. E. Cardinalibus et R. Curiae officialibus de annatis, quindenniis, communibus, minutis et aliis iuribus perceptis quomodolibet participantibus eorumque respective Collegii, ratione unionis, annexionis et incorporationis huiusmodi debitorum solutione et praestatione, auctoritate et tenore praesentis omnino eximimus et liberamus, liberumque et exemptum omni futuro tempore fore et esse statuimus et mandamus.

Decernentes....

Datum Romae apud S. M. M. anno Inc. Dom. MDCCLXXV decimo Kal. Aug. Pont. N. an. 1 ».

DOKUMENT IV

PETIZIONE

Dei Vicarii Apostolici della Cina e dell'Episcopato delle regioni turche, spedita al Senato pel Collegio dei Cinesi di Napoli.

A S. E. IL PRESIDENTE DEL SENATO

Eccellenza

Il sottoscritto nella qualità di rappresentante i Vicarii Apostolici della Cina e l'Episcopato residente nei paesi sottoposti al Turco, prega l'Eccellenza Vostra di portare a conoscenza del Senato quanto i suoi rappresentati ad esso espongono.

I Vicarii apostolici della Cina e l'Episcopato dei paesi sottoposti al dominio del Turco pregano instantemente il Senato di considerare la importanza che ha per essi la conservazione del Collegio dei Cinesi stabilito in Napoli.

Questo Seminario apostolico era fondato da Matteo Ripa per la formazione di cleri indigeni per la Cina, l'India ed altri paesi della Turchia. Il fondatore, la Santa Sede, ed altri donatori costituirono, con l'autorizzazione del potere politico dell' ex-reame di Napoli, un patrimonio per la gratuita educazione dei giovani indigeni di quelle regioni, che volevano ascendere al sacerdozio. In conformità di tali disposizioni furono inviati giovani con grande profitto delle missioni e del paese che li avea formati.

Ciò rilevasi dalle tavole di fondazione, dagli atti di donazione, che ne costituiscono il patrimonio, e dalle decisioni dei supremi tribunali italiani, che hanno dichiarato essere a questo scopo fondato l'istituto *privato*, detto Collegio dei Cinesi.

Ora gli esponenti intendono con dispiacere che questo istituto per le missioni religiose e la civiltà che da esse è prodotta, si voglia laicizzare rimutandolo in *Regio Istituto Orientale di Napoli,* intestando allo stesso tutto il patrimonio convertito. Siffatta novità che dicesi riordinamento dell'istituto, è una vera distruzione dello stesso, mutandone lo scopo ed invertendo i beni contrariamente alla intenzione dei donatori. Per essa è privata l'Italia di un gran mezzo per diffondere nella Cina e nelle altre regioni la lingua italiana, e le simpatie per la terra ospitale, e l'influenza di essa all'estero, privando gli esponenti di tutti i posti gratuiti che godono in detto Collegio.

Gli esponenti sono sicuri che il Senato giudicherà la giustizia del preteso riordinamento; ma, affinchè i diritti acquisiti dell'Episcopato sieno presi in considerazione, Lo pregano di far ragione alla loro petizione che li renderebbe almeno in parte salvi:

I. Che la casa con la chiesa e giardino annesso, presente sede del Collegio, non sia convertita e resti, netta di pesi fiscali, per l'uso adibito fin ora. Per esperienza è riconosciuto essere quell'aria la più omogenea in Italia agl'indigeni cinesi.

II. Che dal reddito del patrimonio convertito sia prelevata una quota, che corrisponda ai posti gratuiti a favore delle regioni nominate, secondo le anteriori obbligazioni del patrimonio.

III. Che sia prelevato dalla stessa rendita una quota sufficiente per le spese del personale dirigente ed insegnante.

IV. Che la direzione del Collegio per le missioni sia esclusivamente ecclesiastica, affidata a persone scelte dagli aventi diritto all'educazione di siffatti chierici.

✠ DOM. JACOBINI Arc. di Tiro
Segretario della S. C. di Propaganda.

DOKUMENT V

EMENDAMENTI

ALLA LEGGE PER L'ISTITUTO ORIENTALE

IN NAPOLI

I. Mancando lo scopo delle missioni tutto il patrimonio può essere soggetto alla riversibilità, essendo stato dato esclusivamente per le missioni della Cina e Collegio.

Art. I. Oggetto dell' Istituto sarà l' insegnamento pratico delle lingue vive dell'Asia e dell'Africa ecc. – *Si aggiunga:* — E le missioni religiose nazionali.

II. Per la stessa ragione che nell' antecedente.

Art. II. Il Ministro potrà fondare un collegio. – *Si aggiunga:* — L' ex-collegio dei Cinesi resterà allo scopo delle missioni con un numero di borse secondo la volontà dei donatori dei beni, con direzione affidata a chi è eletto dai Vicarii apostolici.

VI. La crisi agricola e lo stato della proprietà urbana renderebbero molto dannosa una sollecita converzione.

Art. VI. Sia allargato il tempo per la conversione sino a dieci anni, – *e si aggiunga:* — L' attuale fabbricato ed annessi non sarà convertito, e resta con la chiesa pel collegio delle missioni, franco d' imposte e spese di culto.

VII. I Preti Ripa sono semplici preti secolari, non fanno alcuna professione; però con questa condizione potrebbero non avere la pensione concessa.

Art. VII. *Si tolgano le voci:* i quali hanno fatto regolare professione di voti.

Vi sono legati ed atti di beneficenza, che nell' interesse dei terzi devono essere adempiti per non ledere i diritti acquisiti.

Art. da aggiungere. L' amministrazione dell'Istituto Orientale eseguirà tutti gli oneri che hanno carattere di continuità secondo le tavole di fondazione del Collegio dei Cinesi.

DOKUMENT VI

N° 79125

Illmo e Revmo Signore

E' nell'interesse della Santa Sede che la S. V. Illma e Revma abbia piena cognizione di un fatto recente che mostra sempre meglio lo spirito che informa gli atti del Governo d'Italia in ciò che ha rapporto alla religione ed alla Sede Apostolica.

Avrà veduto la S. V. nei giornali che testé fu pubblicata in Italia una legge che trasformava il Collegio dei Cinesi di Napoli in Istituto Orientale per l'insegnamento pratico delle lingue vive dell'Asia e dell'Africa. L'oggetto di questa legge ed il fine per cui fu proposta meritano seria attenzione. — Il Collegio dei Cinesi fu fondato nel 1724 dal sacerdote Matteo Ripa perché contribuisse efficacemente a portare la luce del Vangelo e la civiltà cristiana tra gli idolatri di Oriente. Ivi si educavano dei giovani Cinesi, ai quali si aggiunsero poi anche degli Indiani, affinché tornando istruiti nella loro patria formassero un apostolato indigeno nella Cina e nelle India. Per dirigere questo Collegio ed educare gli alunni lo stesso Ripa istituì

Monsignor
di

191

una Congregazione di preti, detta della Sacra Famiglia.
Le donazioni del fondatore e di altre persone benefiche
fornirono i fondi per mantenere cotesto Istituto. Molto vi
contribuirono i Romani Pontefici, anzi il fabbricato ad
uso del Collegio fu comprato dalla Camera Apostolica
pel prezzo di 6000 scudi con dritto di riversibilità in
caso che l'Istituto venisse meno: Benedetto XIV gli donò
un cospicuo fondo coll'obbligo, accettato dalla Congregazione, di educare cogli altri alunni anche otto giovani
dell'Impero Ottomano da nominarsi dalla Congregazione di Propaganda. A questa poi, secondo una
Bolla di Pio VI del 23 Luglio 1775, doveva la Congregazione della Sacra Famiglia render conto non solo del numero,
della educazione e profitto degli alunni, ma altresì
dello stato economico del Collegio.
Dopo l'annessione del Regno di Napoli al Piemonte
e la formazione del Regno d'Italia si riconobbe che
le leggi di soppressione delle case religiose fatte nel 1861
e 1866 non erano applicabili al Collegio dei Cinesi ed
alla Congregazione che lo amministrava. Però il dì
12 Settembre 1869 un Decreto regio, ritenendo l'Istituto

del Ripa come un ente morale di pubblica istruzione gli diede il titolo di Collegio Asiatico di Napoli, e ne assoggettò l'amministrazione e l'indirizzo al Ministero della pubblica istruzione. Si tentò inoltre di far perire la persona morale direttrice dell'Istituto proibendo ai Congregati della Sacra Famiglia di associare altri membri. Si fecero in seguito molte inchieste ministeriali e sei successivi riordinamenti assai perniciosi al Collegio. Siccome queste innovazioni erano operate per decreti reali, i membri della Congregazione della Sacra Famiglia, avendo a capo il sacerdote Falanga, ricorsero al Re perchè ordinasse una revisione dei decreti lesivi ai loro diritti e pregiudicievoli all'Istituto. Però, malgrado che il Consiglio di Stato opinasse che si avesse a rivocare uno di questi Decreti fatto il 26 ottobre 1867, il ricorso restò inutile per cui la Congregazione ricorse ai tribunali. Questi fecero ragione ai Congregati. Infatti, dopo varii giudizii, una sentenza della Corte di appello di Napoli, data il 21 Ottobre 1883, stabilì: 1º Che il Collegio di Cinesi era di privata fondazione, allo scopo religioso e retto da persone ecclesiastiche; 2º Che il Falanga e gli altri mem-

192

bri della stessa Congregazione han dritto al possesso ed
all'amministrazione dei beni del Collegio, non che all'eser-
cizio delle facoltà loro deferite dalle Costituzioni e Regole
dell'Istituto; e che questi diritti erano stati lesi dai decreti
reali.

Il ricorso proposto dal Ministro della Pubblica Istruzione contro questa sentenza alla Cassazione di Roma venne
da questa rigettato. Dovea pertanto il Ministro confor-
marsi alla sentenza, previo ricorso fatto al Re dalla parte
vincitrice. Infatti la legge sul contenzioso amministrativo
dispone all'art. IV: "Quando la contestazione cade sopra
un diritto che si pretende leso da un atto dell'autorità
amministrativa, i Tribunali si limiteranno a conoscere
degli effetti dell'atto stesso in relazione all'oggetto dedotto
in giudizio. – L'atto amministrativo non potrà essere
rivocato o modificato se non sovra ricorso alle competen-
ti autorità amministrative, <u>le quali si conformeranno
al giudicato dei Tribunali in quanto riguarda il caso
deciso</u>". Benchè la legge fosse chiara ed i rappresentanti
dell'Istituto avessero mandato il ricorso al Re perchè
la sentenza fosse eseguita, pure il Ministro non gli

diede corso, dicendo che il Governo stava per presentare alle Camere un disegno di legge relativo al Collegio Asiatico. Infatti venne presentato alla Camera dei Deputati e successivamente al Senato questo disegno che trasformava il Collegio da istituto di Missioni religiose in instituto di insegnamento pratico delle lingue vive dell'Asia e dell'Africa, scioglieva la Congregazione della Sacra Famiglia, aggiudicava al nuovo istituto i beni di quello distrutto, e assoggettava gli stabili alla conversione. Questo disegno di legge fu approvato dalla Camera e dal Senato e pubblicato come legge del regno.

La mostruosa enormità di questo procedere non ha bisogno di essere rilevata. Dopo una serie di atti arbitrarî di un Ministro, condannati dal potere giudiziario come lesivi dei diritti di un ente morale lecito e riconosciuto dallo Stato, per evitare la forza della sentenza si lascia di eseguirla, violando apertamente la legge che ne impone l'esecuzione, e si propone una legge nuova che estingue l'ente morale di cui furono lesi i diritti, inverte ad altri usi il patrimonio dell'estinto senza darsi cura degli oneri annessi, e lo intesta ad un altro ente nuovo per iscopo

193

e per indirizzo, contrariamente alla volontà dei primi fondatori.

Il principio che la legge dev'essere fatta per tutelare i diritti dei cittadini non poteva essere calpestato in modo più manifesto. Nè questo è il tutto: il colpo inflitto al Collegio dei Cinesi ed alla Congregazione della Sacra Famiglia va a ferire anche altri. Per esso la Chiesa Cattolica, la religione della quale, giusta lo statuto del regno, è la religione dello Stato, è gravemente lesa, venendo privata di valorosi propagatori ed apostoli della sua fede: è lesa la Congregazione di Propaganda, a cui viene sottratto un Istituto che da lei dipendeva e dovea alimentare parecchi alunni da essa nominati: sono lesi infine i successori di coloro che somministrarono i fondi per la erezione e sostentamento dell'Istituto perchè possono a ragione esigere che quei beni tornino al fonte onde provennero, quando non abbiano più a servire all'uso a cui furono destinati.

Si è detto a difesa del Governo italiano che la stessa Corte di Cassazione di Roma suggerì la presentazione di un disegno di legge, dicendo che se il pubblico bene avesse richiesto la trasformazione dell'ente ed anche la soppressione

assoluta, il mandato e l'obbligo dei governanti italiani era
quello di provocare il provvedimento supremo della legge:
e questo appunto, dicesi, fu fatto dal Governo italiano in
nome del diritto di sovranità, a cui cede il rispetto dovuto
alla volontà dei testatori, come esprimevasi la Cassazione.
Si aggiunge inoltre che dai documenti presentati al Parla-
mento risulta che dalla istituzione del Collegio in 83 anni
non ne uscirono più che 106 alunni malgrado una spesa
che, cumulate le rendite, si fa ascendere a non meno di ven-
ti milioni. Quindi il pubblico bene esigeva la trasformazione.

L'appello che si fa in questo caso alle parole della Corte di
Cassazione è inopportuno. Uno spediente, se è riprovevole,
non cessa di essere tale perché fu suggerito da un altro. Per
giustificare le lagnanze della Santa Sede basta il conoscere
che, secondo la Corte, era ingiusto ciò che sino al momento
della sentenza il Ministro della Pubblica Istruzione aveva
operato e sostenuto. — Fallace è l'appello che si fa al diritto
di sovranità, perché se l'atto include ingiustizia, diviene doppia-
mente reo quando è fatto da chi esercita il potere sovrano
perché si ha l'oppressione del debole per parte di coloro

dei quali il primo dovere è quello di tutelare i dritti di tutti
Nè può il fatto del Governo giustificarsi col pretesto
dell'utile pubblico, giacchè se una persona fisica o giuridica
non offenda lo Stato, non si può spogliarla dei beni e dis-
truggere la sua personalità, in vista di un vantaggio ma-
teriale che da ciò potesse derivare al pubblico. In secondo
luogo è assai strano che, riconoscendosi dallo statuto del
Regno la religione cattolica come religione dello Stato, epper-
come vera; si osi porre a pretesto il pubblico bene, mentre gli
interessi della religione e civiltà cristiana si pospongono
a vantaggi di ordine puramente filologico.

Credo che questi tratti principali del fatto e riflessi
generali di diritto bastino perchè la S.V. si formi un'idea
adeguata dell'operato del Governo Italiano in quest'affare.
Così Ella potrà ancora, come è desiderio del Santo Padre,
informarne convenevolmente il Governo presso il quale è
accreditata, per guisa che possa apprezzare giustamente
e qualificare come merita il modo di procedere di chi siede
al governo d'Italia.

Con sensi di distinta stima passo poi a raffermarmi

Di V. S. Illma e Revma

Servitore

Roma 11 Gennaio 1889.

DOKUMENT VII

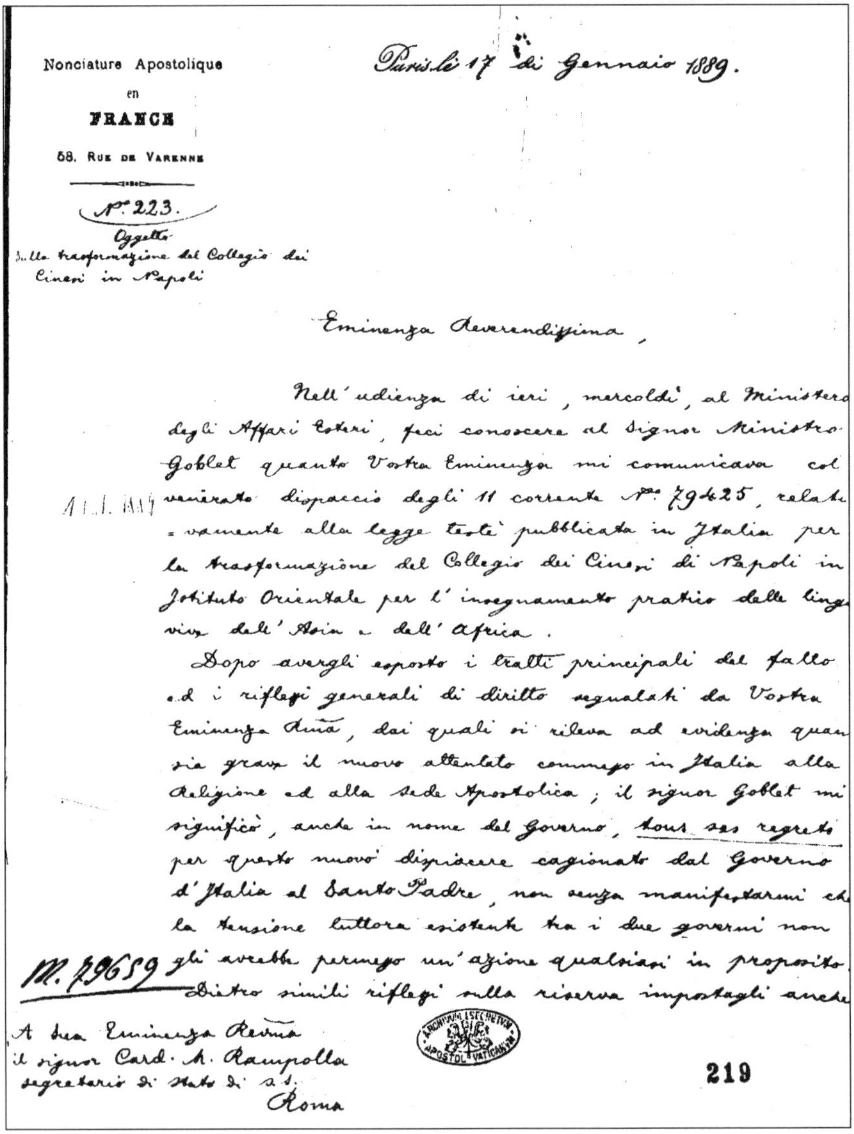

Nonciature Apostolique
en
FRANCE
58, Rue de Varenne

N.° 223.

Oggetto
Sulla trasformazione del Collegio dei Cinesi in Napoli

Parigi lì 17 di Gennaio 1889.

Eminenza Reverendissima,

Nell'udienza di ieri, mercoldì, al Ministero degli Affari Esteri, feci conoscere al Signor Ministro Goblet quanto Vostra Eminenza mi comunicava col venerato dispaccio degli 11 corrente N.° 79425, relativamente alla legge testè pubblicata in Italia per la trasformazione del Collegio dei Cinesi di Napoli in Istituto Orientale per l'insegnamento pratico delle lingue vive dell'Asia e dell'Africa.

Dopo avergli esposto i tratti principali del fatto ed i riflessi generali di diritto segnalati da Vostra Eminenza Rma, dai quali si rileva ad evidenza quanto sia grave il nuovo attentato commesso in Italia alla Religione ed alla Sede Apostolica; il signor Goblet mi significò, anche in nome del Governo, tous ses regrets per questo nuovo dispiacere cagionato dal Governo d'Italia al Santo Padre, non senza manifestarmi che la tensione tuttora esistente tra i due governi non gli avrebbe permesso un'azione qualsiasi in proposito. Dietro simili riflessi sulla riserva impostagli anche

N. 79659

A Sua Eminenza Revma
il signor Card. M. Rampolla
segretario di Stato di S. S.
Roma

ARCHIVUM SECRETUM APOSTOL. VATICANUM

219

in tale occasione dal diritto internazionale, mi ripetè l'espressione del suo regret, con preghiera di farla giungere all'Eminenza Vostra Reverendissima.

Tanto era mio dovere di riferire all'Eminenza Vostra, ed assicurandola in pari tempo della immediata trasmis=sione da me fatta delle altre dieci lettere ai rappresen=tanti della santa Sede, inchinato al bacio della sacra Porpora, mi pregio di raffermarmi col massimo ossequio

di Vostra Eminenza Reverendissima

devotissimo, ossequentissimo umilissimo servo
+ L. Arciv. di [illegible]
n.a.

DOKUMENT VIII

Exp: No 10.

München, den 9. Februar 1889.

Koenigl: Bayerisches
Staatsministerium
des
Koenigl: Hauses u. des Aeussern

Betreff:
Das Chinesische Kollegium in
Neapel.

Der interimistische Geschäftsträger des Heiligen Stuhles, Msgre. Guidi, hat mir, erhaltenem Auftrage zufolge von einem auf das Chinesische [: Asiatische :] Kollegium in Neapel bezüglichen Rundschreiben des Kardinal-Staatssekretärs Rampolla vom 11. Januar dz. Js. Kenntniß gegeben. In diesem Schriftstücke wird auseinandergesetzt, daß die Italienische Regierung seit längerer Zeit Versuche mache, jene Anstalt, welche eine unter geistlicher Leitung stehende Vorbereitungsanstalt für Missionszwecke sein solle, ihrem stiftungsgemäßen Zwecke zu entfremden. Der Appellhof zu Neapel habe der Regierung Unrecht gegeben und den religiösen Charakter des Kollegiums anerkannt. Gleichwohl habe die Italienische Regierung nunmehr durch Gesetz aussprechen lassen, daß das Kollegium aus einem Missionsinstitut in eine Anstalt zur Erlernung der asiatischen und afrikanischen Sprachen umzuwandeln, die an der Spitze stehende Priester-Congregation aufzulösen, das Vermögen des Kollegiums dem

An
die Königliche Gesandtschaft
beim Päpstlichen Stuhle
in
Rom.

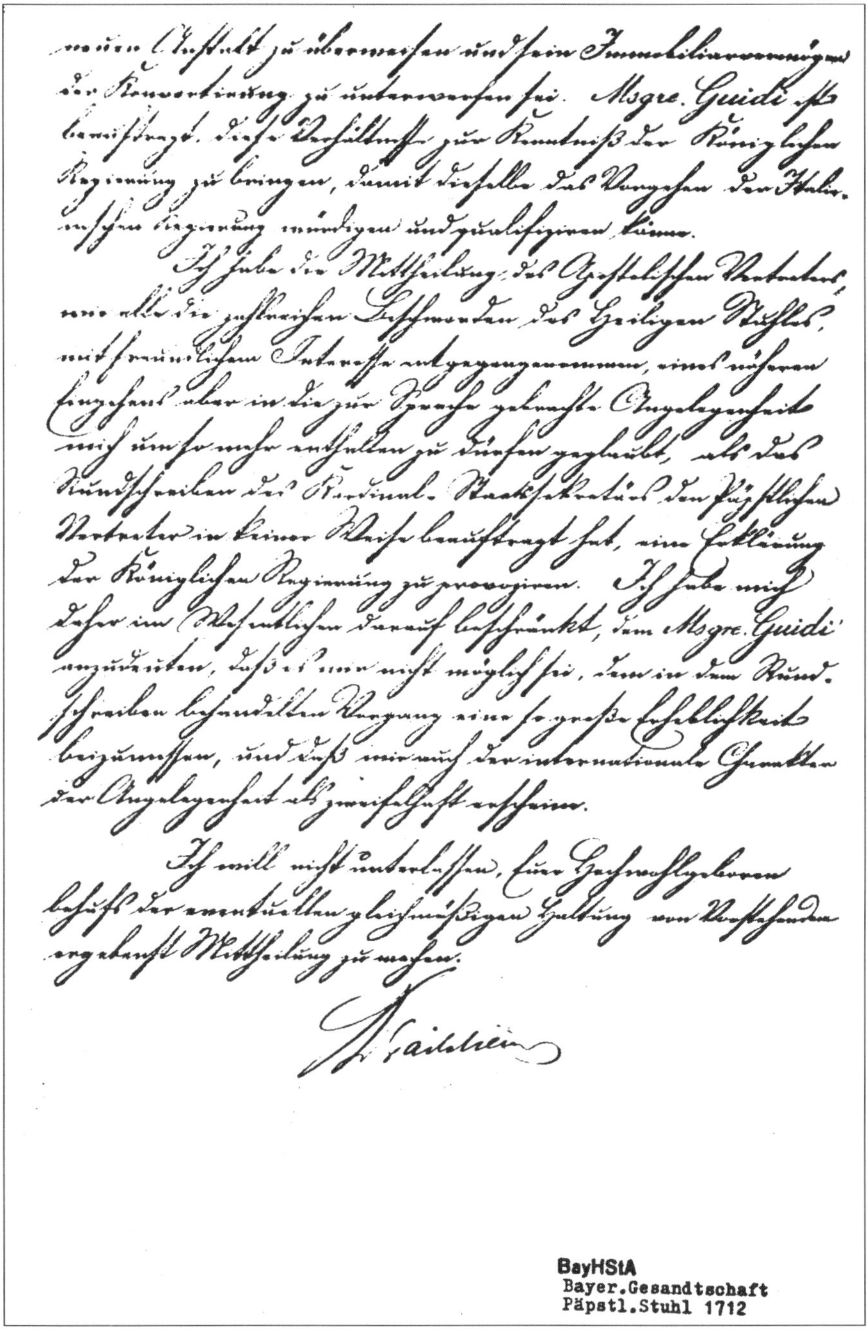
...nen Anstalt zu überweisen und sein Immobiliarvermögen
der Konvertierung zu unterwerfen sei. Msgre. Guidi ist
beauftragt, diese Verhältnisse zur Kenntniß der Königlichen
Regierung zu bringen, damit dieselbe das Vorgehen der Italienischen Regierung würdigen und qualifiziren könne.

Ich habe die Mittheilung des Apostolischen Vertreters,
wie alle die zahlreichen Beschwerden des Heiligen Stuhles,
mit freundlichem Interesse entgegengenommen, eines näheren
Eingehens aber in die zur Sprache gebrachte Angelegenheit
mich umsomehr enthalten zu dürfen geglaubt, als das
Rundschreiben des Kardinal-Staatssekretärs den päpstlichen
Vertreter in keiner Weise beauftragt hat, eine Erklärung
der Königlichen Regierung zu provoziren. Ich habe mich
daher im Wesentlichen darauf beschränkt, dem Msgre. Guidi
anzudeuten, daß es mir nicht möglich sei, dem in dem Rundschreiben behandelten Vorgang eine so große Erheblichkeit
beizumessen, und daß mir auch der internationale Charakter
der Angelegenheit als zweifelhaft erscheine.

Ich will nicht unterlassen, Euer Hochwohlgeboren
behufs der eventuellen gleichmäßigen Haltung vorstehende
ergebenste Mittheilung zu machen.

Crailsheim

DOKUMENT IX

ELENCHUS ALUMNORUM

DECRETA ET DOCUMENTA

QUÆ SPECTANT AD

COLLEGIUM SACRAE FAMILIAE

NEAPOLIS

CHANG-HAI
EX TYPOGRAPHIA MISSIONIS CATHOLICÆ
IN ORPHANOTROPHIO T'OU-SÈ-WÈ.

1917

CATALOGUS ALUMNORUM

SINENSIUM, QUI IN COLLEGIO

SACRAE FAMILIAE NEAPOLIS

EDUCATIONEM RECEPERUNT.

	NOMEN ET COGNOMEN	姓名字	PATRIA	ORTUS	ADVENTUS	VESTITIO
1	*Joan. Bapt.* Ku	谷若翰	直隸順天	1701	Recepti in Sinis: Jun. 1714	
2	*Joan. Evang.* In	殷若望	直隸固安	1705	10 Jun. 1714	
3	*Philippus* Hoam	黄巴桐	直隸固安	1712	Nov. 1719	
4	*Lucius* Vu	呉露爵	江蘇金山	1713	Jan. 1720	
5	*Gabriel* de Angelis	Belisario	Philippinæ	6 Apr. 1713	28 Nov. 1736	
6	*Dominicus* Ciao	趙多明	四川成都	1717	15 Maj. 1738	15 Maj. 1738
7	*Simon* Ciao	趙西滿	湖北荊州	1722	„ „ „	„ „ „
8	*Jos. Lucius* Li	李若瑟	廣東順德	16 Febr. 1717	1 Mar. 1739	25 Mar. 1739
9	*Vitalis Jos.* Kuo	郭元性	陝西渭南	1718	„ „ „	„ „ „
10	*Paulus* Z'ai	蔡文安	福建龍溪	1720	„ „ „	„ „ „
11	*Pius Conf.* Lieu	劉必約	四川重慶	1718	20 Sept. 1739	8 Dec. 1739
12	*Pius Mart.* Lieu	劉成仁	四川銅梁	1718	„ „ „	„ „ „
13	*Joan. Ev.* Ciam	張月旺	廣東始興	1712	16 Dec. 1750	2 Febr. 1751
14	*Antonius* Siao	蕭安多	湖北松滋	1735	24 Jul. 1754	8 Sept. 1754
15	*Petrus Andr.* Vu	呉伯鐸	廣東廣州	1738	„ „ „	„ „ „
16	*Franciscus* Zem	曾清貴信德	陝西臨潼	Jan. 1740	„ „ „	„ „ „
17	*Emmanuel* Ma	馬功撒	廣東香山	1740	„ „ „	„ „ „
18	*Joan. Ev.* Tai	戴金冠則明	廣東惠來	1735	21 Aug. 1756	21 Nov. 1756
19	*Jacobus* Jen	嚴雅谷	福建漳州	1736	„ „ „	„ „ „
20	*Cassius Jos.* Tai	戴德冠則仁	廣東惠來	1737	„ „ „	„ „ „
21	*Simon Car.* Lieu	劉嘉祿	陝西城固	1742	„ „ „	„ „ „
22	*Lucius Thomas* Hoam	黄多瑪	廣東潮州	1741	„ „ „	„ „ „
23	*Petrus* Z'ai	蔡若祥	福建龍溪	Jun. 1739	19 Maj. 1761	26 Jul. 1761
24	*Jacobus* Ngai	艾亞柯	湖北穀城	1741	„ „ „	„ „ „
25	*Barnabas* Sham	常納巴	湖北襄陽	19 Maj. 1741	„ „ „	„ „ „
26	*Carolus Jos.* Vam	王加樂	廣東潮州	Jan. 1739	„ „ „	„ „ „
27	*Joannes Ev.* Kuo	郭儒旺	山西壺關	25 Oct. 1743	26 Jul. 1766	15 Aug. 1766
28	*Dominicus* Lieu	劉明莪	陝西臨潼	30 Dec. 1747	„ „ „	„ „ „
29	*Jacobus Jos.* Kuo	郭雅歌	山西壺關	13 Dec. 1747	„ „ „	„ „ „
30	*Josephus* Ciam	章儒瑟	廣東潮州	Sept. 1742	19 Apr. 1770	3 Maj. 1770
31	*Joan. Bapt.* Vam	王儒翰	陝西渭南	Jan. 1748	„ „ „	„ „ „
32	*Philippus* Lieu	劉愷弟	湖南沅江	Apr. 1752	„ „ „	„ „ „
33	*Martinus* In	殷瑪玎	四川銅梁	1 Jan. 1753	„ „ „	„ „ „
34	*Mathias* Vam	王正禮	陝西盩厔	1 Maj. 1754	„ „ „	„ „ „
35	*Cajetanus* Siu	徐格達適之	甘肅甘州	1 Jan. 1748	18 Oct. 1773	14 Nov. 1773
36	*Marcus* Cen	陳廷玉	甘肅甘州	Febr. 1752	„ „ „	„ „ „
37	*Michael* Li	李汝林	直隸涿州	Maj. 1754	„ „ „	„ „ „
38	*Simon* Fan	范天成之仁	直隸景州	Maj. 1755	„ „ „	„ „ „
39	*Paulus* K'o	柯宗孝	直隸	Maj. 1758	„ „ „	„ „ „
40	*Nicolaus* Ho	賀明玉文琳	四川巫山	Jan. 1759	„ „ „	„ „ „

VOTORUM EMISSIO	ORDINATIO AD SACERDOTIUM	REDITUS	MISSIO	OBITUS	SEPULTURAE LOCUS
1717	17 Jan. 1734	10 Sept. 1734	四川直隸	25 Jan. 1763	北京
	„ „ „	„ „ „		15 Nov. 1735	湖南湘潭
5 Apr. 1739	18 Mar. 1741	Aug. 1760	直隸	26 Apr. 1776	
„ „ „	„ „ „			Aug. 1763	*Romæ*
25 Maji 1738				28 Nov. 1738	*Neapolis*
28 Maij 1739	21 Maji 1747	26 Jul. 1751	湖廣	18 Aug. 1754	湖南常德
„ „ „	„ „ „	„ „ „	四川	8 Jun. 1778	湖北巴東溪沙河
15 Maji 1740	„ „ „	29 Oct. 1755	陝西	15 Oct. 1776	
8 Sept. 1740	„ „ „	26 Jul. 1751	山陝甘肅	9 Mar. 1778	
„ „ „	„ „ „	„ „ „	四川廣東	5 Oct. 1782	廣東
6 Jun. 1741	„ „ „	29 Oct. 1755	直隸山東	Sept. 1786	山東
2 Apr. 1741	„ „ „	„ „ „	陝西	Febr. 1785	*in exilio* 伊犁
6 Jan. 1752	2 Sept. 1759	24 Aug. 1761	廣東	25 Dec. 1782	廣東
23 Dec. 1759	20 Nov. 1763	21 Aug. 1764		10 Nov. 1766	澳門
„ „ „				4 Nov. 1763	*Neapolis*
„ „ „	7 Apr. 1765	Nov. 1767	陝廣東直隸山東	+	
„ „ „	12 Jan. 1766	1769	澳門陝西	1796	北京 *in carcere*
„ „ „	Accolythus	11 Sept. 1761		+	
„ „ „	„			10 Apr. 1762	*Neapolis*
„ „ „	21 Dec. 1763	21 Aug. 1764	直隸廣東	21 Aug. 1785	廣東
„ „ „	1766	Mar. 1771	陝西	14 Nov. 1820	
„ „ „	„	„ „		2 Febr. 1772	*Gadibus*
3 Febr. 1765	1767	Nov. 1767	湖廣陝西廣東	+	*Goa*
„ „ „	1765	25 Febr. 1765		27 Sept. 1765	*Gadibus*
„ „ „	1767	Nov. 1767	山西直隸	26 Jan. 1797	
		1 Oct. 1766		+	
6 Jan. 1770	1775	Maj. 1775	直隸山陝甘	Febr. 1817	
„ „ „	1774	23 Aug. 1774	山陝甘肅	26 Apr. 1828	
5 Jan. 1772	1775	1775	山西	30 Mar. 1779	
„ „ „	1774	23 Aug. 1774	廣東	14 Dec. 1778	
1771				19 Mar. 1771	*Neapolis*
19 Mar. 1774	1775	Maji 1775	湖廣	1785	
„ „ „				17 Oct. 1774	*Neapolis*
„ „ „	25 Mar. 1781	12 Sept. 1773	陝西	7 Aug. 1819	
24 Jan. 1781	7 Apr. 1782	Sept. 1778	山西蒙古	1801	*In exilio* 伊犁
19 Mar. 1778	25 Mar. 1781	12 Sept. 1783	甘肅山東	22 Jul. 1829	
„ „ „	„ „ „	„ „ „	廣東湖廣	Sept. 1802	廣東
„ „ „	„ „ „	„ „ „	陝甘山西山東	1828	
„ „ „	7 Mar. 1784	20 Mar. 1792	直隸山東	26 Jan. 1825	
„ „ „	14 Nov. 1784	29 Oct. 1785	湖廣	2 Jul. 1827	

	NOMEN ET COGNOMEN	姓名字	PATRIA	ORTUS	ADVENTUS	VESTITIO
41	*Petrus* Vam	王　英	陝西渭南	Jun. 1759	18 Oct. 1773	14 Nov. 1773
42	*Jacobus* Li	李自標	甘肅涼州	Maj. 1760	„ „ „	„ „ „
43	*Vincentius* Jen	嚴寬仁	福建漳州	8 Dec. 1757	28 Oct. 1777	16 Nov. 1777
44	*Franciscus* Han	韓芳濟	山西		5 Oct. 1785	1 Nov. 1785
45	*Marcus* Ciam	張瑪谷	廣東始興	Maj. 1761	15 Mar. 1789	3 Maj. 1789
46	*Joannes* Fei	婁如漢	山東濟南	Jul. 1770	„ „ „	„ „ „
47	*Antonius* Ciu	朱萬禾壽官	山西祁縣	17 Oct. 1770	11 Jun. 1789	12 Jul. 1789
48	*Paulus* Vam	王保樂	山西太原	4 Dec. 1770	„ „ „	„ „ „
49	*Josephus* P'an	潘如雪	直隷順天	Jan. 1773	„ „ „	„ „ „
50	*Franc. Xav.* Tai	戴勿畧	廣東惠來	1772	1 Dec. 1789	21 Dec. 1789
51	*Lucas* P'an	潘路加	廣東樂昌	20 Jun. 1772	23 Jul. 1795	15 Aug. 1795
52	*Dominicus* Jen	嚴甘霖	福建漳州	1774	„ „ „	„ „ „
53	*Josephus* Cium	鍾理珍	廣東廣州	22 Dec. 1783	27 Sept. 1802	21 Nov. 1802
54	*Paulus* Vam	汪振亭	廣東廣州	7 Aug. 1784	„ „ „	„ „ „
55	*Antonius* T'am	唐多尼	廣東廣州	9 Febr. 1785	„ „ „	„ „ „
56	*Stephanus* Sie	謝斯德	廣東廣州	21 Febr. 1786	„ „ „	„ „ „
57	*Pacificus* Ju	余恒德	陝西城固	1795	1 Sept. 1821	16 Sept. 1821
58	*Leo* Cen	陳　良	山西潞安	1805	„ „ „	„ „ „
59	*Paulus* Ciam	張保祿	山西太原	1804	„ „ „	„ „ „
60	*Petrus* Vam	王多祿	山西潞安	1804	„ „ „	„ „ „
61	*Joannes* Kuo	郭約安	山西陽曲	1805	24 Aug. 1824	8 Sept. 1824
62	*Didacus* Vam	王悌達	山西文水	1805	„ „ „	„ „ „
63	*Franc. Xav.* T'ien	田廣益	山西長治	10 Jun. 1809	24 Maj. 1828	24 Jun. 1828
64	*Valentinus* Jen	任萬有	山西太原	1810	„ „ „	„ „ „
65	*Augustinus* T'am	唐永貴	甘肅臯蘭	1810	„ „ „	„ „ „
66	*Andreas* Lieu	劉安得	山西太原	1811	„ „ „	„ „ „
67	*Marcellinus* Ciam	張藹華	甘肅凉州		28 Jul. 1832	2 Aug. 1832
68	*Philippus* Jen	閆玉亨	山西楡次	Mar. 1811	„ „ „	„ „ „
69	*Andreas* Shen	沈靜漁光輝	湖北天門	Nov. 1816	17 Jul. 1834	Aug. 1834
70	*Dominicus* Lo	羅振銓	湖南衡州	1820	„ „ „	„ „ „
71	*Josephus* Vam	王樂瑟	山西太原		28 Aug. 1840	12 Sept. 1840
72	*Stanislaus* Lo	羅振釗	湖南衡州	1823	„ „ „	„ „ „
73	*Thomas* Ciam	張天義	湖北穀城	1826	15 Febr. 1843	19 Mar. 1843
74	*Joan. Nepom.* T'am	唐逢泰景山	江蘇奉賢	4 Maj. 1832	21 Oct. 1849	28 Oct. 1849
75	*Franc. Xav.* Ciam	張懋德	江蘇華亭	1834	„ „ „	„ „ „
76	*Bartholomæus* Lu	陸樂默霞山	江蘇崑山	1 Sept. 1827	13 Mar. 1850	24 Mar. 1850
77	*Franciscus* Hoam	黃廷彰琴溪	江蘇海門	1 Nov. 1835	11 Aug. 1854	26 Sept. 1854
78	*Mathias* Shen	沈明達文忠	江蘇海門	1840	„ „ „	„ „ „
79	*Augustinus* Han	韓長生				
80	*Josaphat* Li	李毓如	江蘇南滙	12 Apr. 1837	12 Mar. 1855	12 Jul. 1855

VOTORUM EMISSIO	ORDINATIO AD SACERDOTIUM	REDITUS	MISSIO	OBITUS	SEPULTURAE LOCUS
19 Mar. 1778	17 Maj. 1785	26 Mar. 1792	陝西	1843	陝西漢中
" " "	14 Nov. 1784	20 Mar. 1792	甘肅山西	17 Febr.1828	
6 Jan. 1780	7 Mar. 1784	26 Mar. 1792	湖廣	1794	湖北天門七屋坮
				15 Jul. 1829	*Neapolis*
18 Nov. 1792	12 Mar. 1796	Dec. 1802		1829	
" " "	22 Sept. 1798			11 Aug. 1804	*Neapolis*
" " "	" " "			29 Nov. 1812	*Neapolis*
" " "	" " "	Dec. 1802	山西	5 Febr.1843	山西太原
18 Nov. 1792	29 Oct. 1806			14 Dec. 1847	*Neapolis*
" " "	22 Sept. 1798			4 Jul. 1832	*Neapolis*
8 Dec. 1798	29 Jun. 1806	25 Mar. 1817		+	
" " "	" " "	25 Febr.1823	山西湖廣	25 Febr.1832	湖北省城外洪山
6 Jan. 1807	2 Febr.1822	25 Jan. 1826	湖廣香港	4 Sept.1851	香港聖地
" " "	" " "	25 Febr.1823	山陝湖北	4 Jan. 1867	湖北省城外洪山
" " "	" " "	" " "	湖廣	30 Maj. 1830	湖北天門七屋坮
28 Nov. 1806				29 Nov. 1806	*Neapolis*
6 Jan. 1825	5 Dec. 1830	27 Jan. 1831	陝西高麗	1854	
" " "	" " "	" " "	湖廣山西	+	
" " "	" " "	" " "	蒙古山西湖廣	Febr.1861	
" " "				18 Apr. 1829	*Neapolis*
27 Apr. 1828	1833	Febr.1834	陝甘湖廣山西	3 Jan. 1884	山西陽曲圪料溝
" " "	"	" "	山西		
8 Dec. 1831	1838	Apr. 1839	湖廣	18 Jan. 1885	湖南衡州
" " "	"	" "	湖廣	26 Jun. 1852	湖北沔陽楊乂灣
" " "	"	" "	湖廣	Apr. 1861	湖北穀城茶園溝
		27 Jan. 1831		+	
6 Jan. 1836	10 Maj. 1846	13 Mar. 1850	江南	4 Dec. 1864	上海聖墓堂
" " "	" " "	" " "	江南湖北	29 Aug. 1871	湖北武昌洪山
3 Jun. 1838		" " "	江南湖北	11 Mar. 1881	湖北武昌洪山
" " "	1849	23 Maj. 1849	湖廣	+	湖南
	1852	1852		+	
	"	"	湖廣	+	湖南
6 Jan. 1850	1853	8 Aug. 1853	金山湖北	26 Oct. 1895	湖北老河口
6 Jun. 1852	1858	27 Nov. 1858	湖北鄂東	7 Jun. 1893	湖北天門岳口
		" " "			
6 Jun. 1852	1858	" " "	湖北鄂東	7 Febr.1876	湖北武昌洪山
2 Febr.1859	17 Jan. 1864	18 Apr. 1864	湖北江南	13 Jul. 1876	江蘇上海聖墓堂
		Aug. 1861		+	
				Oct. 1854	*Singapour*
		Nov. 1858		+	

BIBLIOGRAPHIE

Abkürzungen

ASVat/ASS	Archivio della Segreteria di Stato
BayHStA	Bayerisches Hauptstaatsarchiv, München
LThK	*Lexikon für Theologie und Kirche*, 3., völlig neu bearb. Aufl., Freiburg i. Br. 1993-2001
ND	Nachdruck
NZM	*Neue Zeitschrift für Missionswissenschaft*
ZMR	*Zeitschrift für Missionswissenschaft und Religionswissenschaft*

Acts of International Study Workshop of John Montecorvino O.F.M., 1294-1994, Taipei 1994.

Atti del Convegno internazionale di Studi Ricciani. Macerata - Roma, 22-25 Ottobre 1982 a cura di Maria Cigliano, Macerata 1984.

Atti Parlamentari - Senato del Regno (N. 137), Legislatura XVI - 2ª Sessione 1887-88 (Documenti - Progetti di legge e relazioni), Roma 1888.

Bauer, Rolf, *Österreich: ein Jahrtausend Geschichte im Herzen Europas*, Berlin 1980.

Bauer, Wolfgang (Hrsg.), *China und die Fremden. 3000 Jahre Auseinandersetzung in Krieg und Frieden*, München 1980.

Bérenger, Jean, *Geschichte des Habsburgerreiches, 1273 bis 1918*, Wien - Köln - Weimar 1995.

Bergdolt, Klaus, *Der Schwarze Tod in Europa. Die große Pest und das Ende des Mittelalters*, 2., unveränd. Aufl. München 1994.

Bernard, Henri, S.J., *La Découverte de Nestoriens Mongols aux Ordos et l'Histoire ancienne du Christianisme en Extrême-Orient*, Tientsin 1935.

Bettray, Johannes, S.V.D., *Die Akkommodationsmethode des P. Matteo Ricci S.I. in China* (Analecta Gregoriana, Bd. 76), Roma 1955.

Biermann, Benno M., O.P., *Die Anfänge der neueren Dominikanermission in China* (Missionswissenschaftliche Abhandlungen und Texte), Münster i.W. 1927.

—, „Die Ehrung des Konfuzius und der Ahnen in China: Zu einer neuen Entscheidung der hl. Kongregation der Propaganda bzgl. der chinesischen Riten", in: *Missionswissenschaft und Religionswissenschaft* 3 (1940) 171-175.

Brütting, Richard (Hrsg.), *Italien-Lexikon. Schlüsselbegriffe zu Geschichte, Gesellschaft, Wirtschaft, Politik, Justiz, Gesundheitswesen, Verkehr, Presse, Rundfunk, Kultur und Bildungseinrichtungen*, Berlin 1995.

Cafagna, Luciano, *Cavour* (L'identità italiana, Bd. 11), Bologna 1999.

Cahen, Claude, *Orient et Occident au temps des Croisades*, Paris 1983.

Cameron, Nigel, *Barbarians and Mandarins. Thirteen Centuries of Western Travellers in China*, Hongkong - Oxford - New York 1989.

Chan Hok-lam - Wm. Theodore De Bary (eds.), *Yüan Thought: Chinese Thought and Religion under the Mongols*, New York 1982.

Chang, Aloysius Berchmans, S.J., „Die Bedeutung des St. Pauls-Kollegs", in: R. Malek (Hrsg.), *Macau*, 449-468.

Charbonnier, Jean, *Histoire des chrétiens de Chine*, Paris 1992.

Ch'en Yüan, *Western and Central Asians in China Under the Mongols. Their Transformation into Chinese* (Monumenta Serica Monograph Series, vol. 15), ND Sankt Augustin - Nettetal 1989.

Collani, Claudia von, „China: Die Chinamission von 1520–1630", in: *Die Geschichte des Christentums*, Bd. 8: *Die Zeit der Konfessionen (1530–1620/30)*. Hrsg. von Marc Venard. Dt. Ausgabe bearb. und hrsg. von Heribert Smolinsky, Freiburg - Basel - Wien 1992, 933-956.

—, „Jesuiten im Gespräch mit chinesischen Gelehrten", in: *Jahrbuch für Religionswissenschaft und Theologie der Religionen*, Bd. 2, Freiburg i. Br. 1994, 69-87.

—, „Kilian Stumpf SJ zur Lage der Chinamission im Jahre 1708 (I+II)", in: *NZM* 51 (1995) 117-144; 175-209.

—, „Leibniz und der chinesische Ritenstreit", in: *Leibniz. Tradition und Aktualität*. V. Internationaler Leibniz-Kongreß Hannover, 14.–19. November 1988, Hannover 1988, 156-163.

Comentale, Christophe, *Matteo Ripa, peintre - graveur - missionnaire à la Cour de Chine. Mémoires traduits, présentés et annotés*, Taipei 1983.

Croce, Benedetto, *Geschichte Europas im neunzehnten Jahrhundert*, Frankfurt a.M. 1968.

Cummins, J.S., *A Question of Rites. Friar Domingo Navarrete and the Jesuits in China*, Aldershof 1993.

De Bary, Wm. Theodore, and the Conference on Ming Thought (eds.), *Self and Society in Ming Thought* (Studies in Oriental Culture, No. 4), New York 1970.

De Martinis, Raffaele, *Documenti relativi al Collegio Cinese di Napoli raccolti per cura del Convisitatore Apostolico Raffaele De Martinis (1861–1881)*, Napoli 1881.

—, *Memorandum al Senato Italiano: Il Collegio dei Cinesi di Napoli*, Roma 1888.

Dehergne, Joseph, S.J., „Un problème ardu: le nom de Dieu en chinois“, in: *Actes du IIIe Colloque International de Sinologie* (Chantilly, 11–14 septembre 1980), Paris 1983, 13-46.

Dunne, George H., *Das große Exempel. Die Chinamission der Jesuiten*, Stuttgart 1965 (Originaltitel: *Generation of Giants. The First Jesuits in China*, London 1962).

Duteil, Jean-Pierre, *Le Mandat du ciel. Le rôle des jésuites en Chine de la mort de François-Xavier à la dissolution de la Compagnie de Jésus (1552–1774)*, Paris 1994.

Eberhard, Wolfram, *Geschichte Chinas. Von den Anfängen bis zur Gegenwart*, 3., erg. und rev. Aufl. Stuttgart 1980.

Emanuel, John, „Matteo Ripa and the Founding of the Chinese College at Naples“, in: *NZM* 37 (1981) 131-140.

Erbstößer, Martin, *Die Kreuzzüge: eine Kulturgeschichte*, Bergisch Gladbach 1998.

Esser, Thilo, *Pest, Heilsangst und Frömmigkeit. Studien zur religiösen Bewältigung der Pest am Ausgang des Mittelalters* (Münsteraner theologische Abhandlungen, Bd. 58), Altenberge 1999.

„L'Evangile en Chine. L'héritage de Ricci“, in: *Lumen Vitae* 39 (1984) 245-332.

Fairbank, John King, *China. A New History*, Cambridge, Mass. - London 1992.

Fatica, Michele, „Gli alunni del Collegium Sinicum di Napoli, la missione Macartney presso l'imperatore Qianlong e la richiesta di libertà di culto per i cristiani cinesi (1792–1793)“, in: *Studi in onore di Lionello Lanciotti. A cura di S.M. Carletti - M. Sacchetti - P. Santangelo*, Bd. 2 (Istituto Universitario Orientale. Dipartimento di Studi Asiatici. Series Minor, Bd. 51), Napoli 1996, 525-565.

Fitzgerald, Charles Patrick, *Die Chinesen. Das Volk der Gegensätze*, München 1977.

—, *China. A Short Cultural History*, Boulder, Colo. 1985.

Foss, Theodore N., „La cartografia di Matteo Ricci“, in: *Atti del Convegno internazionale di Studi Ricciani*, 177-195.

—, „A Western Interpretation of China: Jesuit Cartography“, in: Ch.E. Ronan - B.B.C. Oh (eds.) *East Meets West*, 209-251

Franke, Otto, *Geschichte des Chinesischen Reiches. Eine Darstellung seiner Entstehung, seines Wesens und seiner Entwicklung bis zur neuesten Zeit*. Unveränd. Neuausgabe der 2. Aufl. von 1948 bis 1965, 5 Bde., Berlin - New York 2001.

Franke, Wolfgang, *An Introduction to the Sources of Ming History*, London - New York 1969.

Friedrich, Stefan, „Außenpolitik“, in: B. Staiger (Hrsg.), *Länderbericht China*, 103-134.

Friese, Heinz, *Das Dienstleistungssystem der Ming-Zeit (1368–1644)* (Mitteilungen der Gesellschaft für Natur- und Völkerkunde Ostasiens, Bd. 35 A), Wiesbaden 1959.

Furlani, Silvio - Adam Wandruszka, *Österreich und Italien. Ein bilaterales Geschichtsbuch*, Wien - München 1973.

Gaillard, Louis, *Croix et Swastika en Chine* (Variétés Sinologiques, No. 3), Shanghai 1893.

Gernet, Jacques, *Christus kam bis nach China. Eine erste Begegnung und ihr Scheitern*, Zürich - München 1984 (Originaltitel: *Chine et christianisme, action et réaction*, Paris 1982).

—, *Die chinesische Welt. Die Geschichte Chinas von den Anfängen bis zur Jetztzeit* (Orginaltitel: *Le monde chinois*, Paris 1972), 3. Aufl. Frankfurt a.M. 1983.

Glazik, Josef, „Die Missionen der Bettelorden außerhalb Europas“, in: *Handbuch der Kirchengeschichte*, hrsg. von Hubert Jedin, Bd. 3/2, Freiburg - Basel - Wien 1968, 479-489.

Goepper, Roger (Hrsg.), *Das alte China. Geschichte und Kultur des Reiches der Mitte*, München 1988.

Gomes dos Santos, Domingos Maurício, „Die erste westliche Universität im Fernen Osten“, in: R. Malek (Hrsg.), *Macau*, 403-434.

Grießler, Margareta, *China. Alles unter dem Himmel*, Sigmaringen 1995.

Grimm, Tilemann, *Erziehung und Politik im konfuzianischen China der Ming-Zeit (1368–1644)* (Mitteilungen der Gesellschaft für Natur- und Völkerkunde Ostasiens, Bd. 35 B), Hamburg 1960.

—, „Ming-Dynastie“, in: *China Handbuch*, hrsg. von Wolfgang Franke unter Mitarbeit von Brunhild Staiger, Düsseldorf 1974, 897-901.

Guillou, Jean, *Les Jésuites en Chine aux XVIIe et XVIIIe siècles*, Toulon 1980.

Haas, Robert, „Chinas Zivilisation des Todes. Ahnenkult und mehr: Die Essenz einer Kultur“, in: *China heute* 20 (2001) 159-166; 21 (2002) 35-42; 128-139.

Hartmann, Peter C., *Die Jesuiten*, München 2001.

Hausmann, Friederike, „Der Regisseur Italiens. Wie Camillo Graf Benso di Cavour vor 150 Jahren daranging, Italiens Einigung zu inszenieren“, in: *Die Welt*, Nr. 47 vom 14. November 2002, 100.

Havret, Henri, S.J., *La Stèle chrétienne de Si-ngan-fou* (Variétés Sinologiques, No. 7, 12 und 20), 3 Bde., Chang-hai 1895–1902.

Heissig, Walther - Claudius C. Müller (Hrsg.), *Die Mongolen*, Innsbruck - Frankfurt a.M. 1989.

Hibbert, Eloise Talcott, *Jesuit Adventure in China during the Reign of K'ang-hsi*, New York 1941.

Ho Ping-ti, *The Ladder of Success in Imperial China. Aspects of Social Mobility, 1368–1911*, New York - London 1962.

Huang Qichen, „Macau, eine Brücke für den Kulturaustausch zwischen China und dem Westen im 16. und 17. Jahrhundert", in: R. Malek (Hrsg.), *Macau*, 331-336.

Hucker, Charles O., *The Traditional Chinese State in Ming Times (1368–1644)*, Tucson 1961.

—, *The Censorial System of Ming China*, Stanford, Calif. 1966.

— (ed.), *Chinese Government in Ming Times*, New York - London 1969.

—, *Two Studies on Ming History* (Michigan Papers in Chinese Studies, No. 12), Ann Arbor, Mich. 1971.

—, *The Ming Dynasty: Its Origins and Evolving Institutions* (Michigan Papers in Chinese Studies, No. 34), Ann Arbor, Mich. 1978.

Huonder, Anton, *Der chinesische Ritenstreit*, Aachen 1921.

Hüttner, Johann Christian, *Nachricht von der britischen Gesandtschaftsreise nach China 1792–1794* (Fremde Kulturen in alten Berichten, Bd. 1), hrsg., eingel. und erl. von Sabine Dabringhaus, Sigmaringen 1996.

International Symposium on Chinese-Western Cultural Interchange in Commemoration of the 400th Anniversary of the Arrival of Matteo Ricci S.J. in China. Ed. Lo Kuang, Taipei 1983.

„International Symposium on Matteo Ricci. His Legacy in East Asia", in: *East Asian Studies* (Seoul) 3 (1983) 1-204.

Iuris Pontificii de Propaganda Fide Pars prima: Bullae, Brevia, Acta S.S. a Congregationis Institutione ad praesens iuxta temporis seriem disposita, tom. 2, Roma 1888.

Iuris Pontificii de Propaganda Fide Pars prima: Bullae, Brevia, Acta S.S. a Congregationis Institutione ad praesens iuxta temporis seriem disposita, tom. 3, Roma 1890.

Jann, Adelhelm, *Die katholischen Missionen in Indien, China und Japan. Ihre Organisation und das Portugiesische Patronat vom 15. bis ins 18. Jahrhundert*, Paderborn 1915.

Jochum, Alfons, *Beim Großkhan der Mongolen. Johannes von Monte Corvino, der erste Franziskaner in China*, Mödling - Sankt Augustin 1982.

Klimkeit, Hans-Joachim, „Das Kreuzessymbol in der zentralasiatischen Religionsbegegnung. Zum Verhältnis von Christologie und Buddhologie in der zentralasiatischen Kunst“, in: *Zeitschrift für Religions- und Geistesgeschichte* 31 (1979) 99-115. Abgedruckt in: Roman Malek, S.V.D. (ed.), *The Chinese Face of Jesus Christ*, Bd. 1, Sankt Augustin - Nettetal 2002, 259-283.

Kuo, Joseph, *Elenchus Alumnorum, Decreta et Documenta quae spectant ad Collegium Sacrae Familiae Neapolis*, Shanghai 1917.

Latourette, Kenneth Scott, *A History of Christian Missions in China*, London 1929, ND Taipei 1966.

Laurentin, René, *Chine et christianisme. Après les occasions manquées*, Paris 1977.

Lawson, Philip, *The East India Company. A History*, London - New York 1993.

Lécrivain, Philippe, S.J., „Die Faszination des Fernen Ostens oder der unterbrochene Traum“, in: *Die Geschichte des Christentums*, Bd. 9: *Das Zeitalter der Vernunft (1620/30–1750)*. Hrsg. von Marc Venard. Dt. Ausgabe bearbeitet von Albert Boesten-Stengel u.a., Freiburg - Basel - Wien 1998, 750-820.

Leibnitz, Georg Wilhelm, *Das Neueste von China (1697). Novissima Sinica*. Mit ergänzenden Dokumenten herausg., übers., erläutert von Heinz Günther Nesselrath und Hermann Reinbothe, Köln 1979.

Li Wenchao, *Die christliche China-Mission im 17. Jahrhundert. Verständnis, Unverständnis, Mißverständnis. Eine geistesgeschichtliche Studie zum Christentum, Buddhismus und Konfuzianismus* (Studia Leibnitiana. Supplementa, Bd. 32), Stuttgart 2000.

Lill, Rudolf, *Geschichte Italiens in der Neuzeit*, 4., durchges. Aufl. Darmstadt 1988.

Märtin, Ralf-Peter - Marc Steinmetz, „Der Mongolensturm“, in: *GEO*, Nr. 2/2002, 10-36.

Maier, Christoph T., *Crusade Propaganda and Ideology. Model Sermons for the Preaching of the Cross*, Cambridge -New York 2000.

Malek, Roman (Hrsg.), *Macau. Herkunft ist Zukunft*. Eine gemeinsame Veröffentlichung des China-Zentrums und des Instituts Monumenta Serica, Sankt Augustin - Nettetal 2000.

Malek, Roman - Arnold Zingerle (Hrsg.), *Martino Martini S.J. (1614–1661) und die Chinamission im 17. Jahrhundert*, Sankt Augustin - Nettetal 2000.

Mandrou, Robert, *Staatsräson und Vernunft 1649–1775*. Ungekürzter fotomechanischer Nachdruck des 1981 in 2. Aufl. erschienenen 3. Bd. [Propyläen-Geschichte Europas], Frankfurt a. M. - Berlin 1992.

Mayer, Hans Eberhard, *Geschichte der Kreuzzüge*, 9., verb. und erw. Aufl. Stuttgart - Berlin - Köln 2000.

Minamiki, George, S.J., *The Chinese Rites Controversy from Its Beginning to Modern Times*, Chicago 1985.

Mingana, Aphonse, *The Early Spread of Christianity in Central Asia and the Far East*, Manchester 1925.

Moule, Arthur Christopher, *Christians in China before the Year 1550*, London 1930.

Mulders, Alphons, *Missionsgeschichte. Die Ausbreitung des katholischen Glaubens*, Regensburg 1960.

Muldoon, James, *Popes, Lawyers, and Infidels. The Church and the Non-Christian World 1250–1550*, Liverpool 1979.

Müller, Regina, „Jean de Montecorvino (1247–1328) - premier archevêque de Chine", in: *NZM* 44 (1988) 81-109; 197-217; 263-284.

Mungello, David E., *Curious Land. Jesuit Accommodation and the Origins of Sinology* (Studia Leibnitiana. Supplementa, vol. 25), Stuttgart 1985.

—— (ed.), *The Chinese Rites Controversy. Its History and Meaning* (Monumenta Serica Monograph Series, vol. 33), Sankt Augustin - Nettetal 1994.

Nardi, Gennaro, *Cinesi a Napoli. Un uomo e un'opera*, Napoli 1976.

Nau, François, *L'expansion nestorienne en Asie*, Paris 1914.

Neumann-Hoditz, Reinhold, *Dschingis Khan. Mit Bildern und Selbstzeugnissen*, Reinbek b. Hamburg 1985.

Nivison, David S., „Ho-Shen and his Accusers. Ideology and Political Behaviour in the Eighteenth Century", in: ders. - Arthur F. Weight (eds.), *Confucianism in Action*, Stanford, Calif. 1959, 209-243.

Nobel, Alphons, *Deutsche Geschichte von der Vorzeit bis zur Gegenwart*, 5., erw. Aufl. Bonn 1963.

Omodeo, Adolfo, *Die Erneuerung Italiens und die Geschichte Europas 1700 bis 1920*, Zürich 1951.

Osterhammel, Jürgen, *China und die Weltgesellschaft. Vom 18. Jahrhundert bis in unsere Zeit*, München 1989.

Parsons, James Bunyan, *The Peasant Rebellions of the Late Ming Dynasty* (The Association for Asian Studies: Monographs and Papers, No. XXVI), Tucson, Ariz. 1970.

Pfister, Louis, S.J. *Notices biographiques et bibliographiques sur les jésuites de l'ancienne mission de Chine, 1552–1773*, 2 Bde. (Variétés sinologique, Nos. 59-60), Chang-hai 1932–1934, ND: Nendeln/Liechtenstein 1971.

Pflaum, Georg Kilian, O.F.M. (Bearb.), *Nathanael Burger und die Mission von Shansi und Shensi 1765–1780* (Quellenschriften für Franziskanische Missionsarbeit, Bd. 1), Landshut 1954.

Plano Carpini, Johannes von, *Kunde von den Mongolen, 1245–1247.* Übersetzt, eingeleitet und erläutert von Felicitas Schmieder (Fremde Kulturen in alten Berichten, Bd. 3), Sigmaringen 1997.

Procacci, Giuliano, *Geschichte Italiens und der Italiener*, unveränd. ND der 1. Auflage [1983], München 1989.

Puhl, Stephan, „Die Mongolen und ihre Kontakte zu katholischen Missionaren. Begegnungen zwischen Ost und West in acht Jahrhunderten im Spiegel europäischer Berichte", in: *China heute* 13 (1994) 18-27, 49-58, 81-92.

—, „Zu den Gründen für das Scheitern der Chinamission der Jesuiten im 17./18. Jahrhundert", in: *Verbum SVD* 32 (1991) 409-444.

Raguin, Yves, S.J., „Das Problem der Inkulturation und der chinesische Ritenstreit", in: *Ignatianisch. Eigenart und Methode der Gesellschaft Jesu*, hrsg. von Michael Sievernich S.J. und Günter Switek S.J., 2. Aufl. Freiburg i. Br. - Basel - Wien 1991, 272-292.

Reichert, Folker E., *Begegnungen mit China. Die Entdeckung Ostasiens im Mittelalter*, Sigmaringen 1992.

Reil, Sebald, *Kilian Stumpf (1655–1720). Ein Würzburger Jesuit am Kaiserhof in Peking* (Missionswissenschaftliche Abhandlungen und Texte, Bd. 33), Münster 1978.

Reinhard, Wolfgang, „Gelenkter Kulturwandel im siebzehnten Jahrhundert. Akkulturation in den Jesuitenmissionen als universalhistorisches Problem," in: *Historische Zeitschrift* 223 (1976) 529-590.

Ricci, Matteo - Nicolas Trigault, *Histoire de l'expédition chrétienne au Royaume de la Chine*, Paris 1978 (ND der französischen Erstauflage Lyon 1617).

Richter, Julius, *Das Werden der christlichen Kirche in China* (Allgemeine Evangelische Missionsgeschichte, Bd. 4), Gütersloh 1928.

Ripa, Matteo, *Giornale (1705–1724)*, Bd. 2, Napoli 1996.

—, *Storia della fondazione della Congregazione e del Collegio de' Cinesi sotto il titolo della Sacra Famiglia di G.C. scritta dallo stesso fondatore Matteo Ripa e de'viaggi da lui fatta*, 3 Bde., Nachdruck der Ausgabe von 1832: Napoli 1983.

Roebuck, Peter (ed.), *Macartney of Lisanoure (1737–1806). Essays in Biography*, Belfast 1984.

Ronan, Charles E. - Bonnie B.C. Oh (eds.), *East Meets West. The Jesuits in China, 1582–1773*, Chicago 1988.

Ross, Andrew C., *A Vision Betrayed. The Jesuits in Japan and China, 1542–1742*, Maryknoll, N.Y. 1994.

Runciman, Steven, *Geschichte der Kreuzzüge*, München 1995.

Sachau, Eduard, *Denkschrift über das Seminar für Orientalische Sprachen an der Königlichen Friedrich-Wilhelms-Universität zu Berlin von 1887 bis 1912*, Berlin 1912.

Sachsenmaier, Dominic, „Die Erforschung des Christentums in China. Einige Überlegungen“, in: *China heute* 21 (2002) 140-143.

Saeki, Yoshiro, *The Nestorian Documents and Relics in China*, 2nd edition, revised and enlarged, Tokio 1951.

Schatz, Klaus, „Inkulturation und Kontextualität in der Missionsgeschichte am Beispiel des Ritenstreits“, in: *Inkulturation und Kontextualität. Theologien im weltweiten Austausch. Festgabe für Ludwig Bertsch zum 65. Geburtstag*, hrsg. von Monika Pankoke-Schenk, Georg Evers, Frankfurt a.M. 1994, 17-36.

—, „Inkulturationsprobleme im ostasiatischen Ritenstreit des 17./18. Jahrhunderts“, in: *Stimmen der Zeit* 197 (1979) 593-608.

Schmidt-Glintzer, Helwig, *China: Vielvölkerreich und Einheitsstaat. Von den Anfängen bis heute*, München 1997.

—, *Geschichte Chinas bis zur mongolischen Eroberung, 250 v.Chr. - 1279 n.Chr.* (Oldenbourg Grundriß Geschichte, Bd. 26), München 1999.

Schmieder, Felicitas, *Europa und die Fremden. Die Mongolen im Urteil des Abendlandes vom 13. bis in das 15. Jahrhundert* (Beiträge zur Geschichte und Quellenkunde des Mittelalters, Bd. 16), Sigmaringen 1994.

Serruys, Henry, C.I.C.M., „Early Mongols and the Catholic Church“, in: *NZM* 19 (1963) 161-169.

—, *Sino-Jürčed Relations During the Yung-lo Period (1403-1424)* (Göttinger Asiatische Forschungen, Bd. 4), Wiesbaden 1955.

Siberry, Elizabeth, *Criticism of Crusading, 1095-1274*, New York - Oxford 1985.

Stadler, Peter (Hrsg.), *Cavour. Italiens liberaler Reichsgründer*, München 2001 (Historische Zeitschrift. Beihefte, N.F., Bd. 30).

Staiger, Brunhild (Hrsg.), *Länderbericht China. Geschichte - Politik - Wirtschaft - Gesellschaft - Kultur*, Darmstadt 2000.

Standaert, Nicolas, „Inculturation and Chinese-Christian Contacts in the Late Ming and Early Qing“, in: *Ching Feng* 34 (Dezember 1991) 4, 209-227.

— (ed.), *Handbook of Christianity in China*. Vol. 1: *635-1800* (Handbook of Oriental Studies, Section 4: China, vol. 15/1), Leiden 2001.

Steininger, Hans, „Die Begegnung des abendländischen Christentums mit der Kultur Chinas im Mittelalter und der frühen Neuzeit“, in: *Die Begegnung des abendländischen Christentums mit anderen Völkern und Kulturen* (Akademie Völker und Kulturen. Vortragsreihe 1978/79), hrsg. von Bernhard Mensen, Sankt Augustin 1979, 11-30.

Stewart, John, *Nestorian Missionary Enterprise. The Story of a Church on Fire*, Edinburgh 1928, ND: New York 1980.

Sure, Donald F. St. - Ray R. Noll (eds.), *100 Roman Documents Concerning the Chinese Rites Controversy (1645–1941)* (Studies in Chinese-Western Cultural History, No. 1), San Francisco 1992.

Thauren, Johannes, *Die missionarische Tragik von Ephesus*, Mödling b. Wien 1931.

Thiel, Josef Franz, „Die christliche Kunst in China“, in: *Die Begegnung Chinas mit dem Christentum*. Ausstellung: *Christliches Kunstschaffen in China*, 21. Mai - 31. Oktober, Sankt Augustin 1980, 27-52.

Thöle, Reinhard, „Lehrkonsens erreicht. Die gemeinsame Erklärung zwischen der Heiligen Apostolischen Katholischen Kirche des Ostens und der Römisch-Katholischen Kirche in der Christologie vom 11. November 1994“, in: *Materialdienst des Konfessionskundlichen Instituts Bensheim* 46 (1995) 35f.

Tisserant, Eugène, „L'Eglise nestorienne“, in: *Dictionnaire de Théologie Catholique*, Bd. 11, ND Paris 1931, 157-323.

Trinchese, Stefano, „Die ‚Römische Frage‘ - ein Überblick“, in: Thomas Frenz (Hrsg.), *Papst Innozenz III. Weichensteller der Geschichte Europas*. Interdisziplinäre Ringvorlesung an der Universität Passau, 5.11.1997–26.5.1998, Stuttgart 2000, 173-184.

Troll, Christian W., „Die Chinamission im Mittelalter“, in: *Franziskanische Studien* 48 (1966) 109-150; 49 (1967) 22-79.

Tubach, Jürgen, „Der Apostel Thomas in China. Die Herkunft einer Tradition“, in: *Zeitschrift für Kirchengeschichte* 108 (1997) 58-74.

Ulbricht, Otto (Hrsg.), *Die leidige Seuche. Pest-Fälle in der Frühen Neuzeit*, Köln 2002.

Übelhör, Monika, „Geistesströmungen der späten Ming-Zeit, die das Wirken der Jesuiten in China begünstigten“, in: *Saeculum* 23 (1972) 172-185.

Väth, Alfons, S.J., *Johann Adam Schall von Bell S.J., Missionar in China, kaiserlicher Astronom und Ratgeber am Hofe von Peking, 1592–1666. Ein Lebens- und Zeitbild*. Neue Auflage [der Ausgabe Köln, Bachem 1933] mit einem Nachtrag und Index (Monumenta Serica Monograph Series, Bd. 25), Sankt Augustin - Nettetal 1991.

Voiret, Jean-Pierre (Hrsg.), *Gespräch mit dem Kaiser und andere Geschichten. Auserlesene Stücke aus den „Erbaulichen und seltsamen Briefen“ der Jesuitenmissionare aus dem Reich der Mitte* (Schweizer Asiatische Studien: Monographien, Bd. 25), Bern u.a. 1996.

Wallis, Helen, „Die Kartographie der Jesuiten am Hof in Peking", in: *Europa und die Kaiser von China*. Eine Ausstellung der Berliner Festspiele: Horizonte '85 im Martin-Gropius-Bau Berlin, 12. Mai bis 18. August. Redaktion Hendrik Budde *et al.*, Frankfurt a.M. 1985, 106-121.

Weber, Christoph, *Quellen und Studien zur Kurie und zur vatikanischen Politik unter Leo XIII: mit Berücksichtigung der Beziehungen des Hl. Stuhles zu den Dreibundmächten* (Bibliothek des Deutschen Historischen Instituts in Rom, Bd. 45), Tübingen 1973.

Weiers, Michael (Hrsg.), *Die Mongolen. Beiträge zu ihrer Geschichte und Kultur*, Darmstadt 1986.

Wiethoff, Bodo, *Die chinesische Seeverbotspolitik und der private Überseehandel von 1368 bis 1567* (Mitteilungen der Gesellschaft für Natur- und Völkerkunde Ostasiens, Bd. 45), Hamburg 1963.

Willeke, Bernward H., *Die Franziskaner und die Missionen des Mittelalters, in: 800 Jahre Franz von Assisi. Franziskanische Kunst und Kultur des Mittelalters*. Katalog des Niederösterreichischen Landesmuseums, Nr. 122, Wien 1982, 221-231.

Witte, Johannes, *Die ostasiatischen Kulturreligionen* (Wissenschaft und Bildung, Bd. 178), Leipzig 1922.

Young, John D., *East-West Synthesis. Matteo Ricci and Confucianism* (Centre of Asian Studies Occasional Papers and Monographs, No. 44), Hongkong 1980.

Zürcher, Erik Jan - Nicolas Standaert S.J. - Adrianus Dudink (eds.), *Bibliography of the Jesuit Mission in China (ca. 1580 - ca. 1680)* (CNWS Publications, No. 5), Leiden 1991.

Personen- und Ortsverzeichnis

Sachregister

Collectanea Serica

Herausgegeben von ROMAN MALEK, S.V.D.
• Institut Monumenta Serica •
Arnold-Janssen-Str. 20, D-53757 Sankt Augustin, Germany

- ANNE SWANN GOODRICH, *The Peking Temple of the Eastern Peak. The Tung-yüeh Miao in Peking and Its Lore*, with 20 Plates. Appendix: *Description of the Tung-yüeh Miao of Peking in 1927* by JANET R. TEN BROECK, Nagoya 1964, 331 pp., Illustr.
- STEPHAN PUHL, *Georg M. Stenz SVD (1869–1928). Chinamissionar im Kaiserreich und in der Republik*. Mit einem Nachwort von R.G. TIEDEMANN (London): „Der Missionspolitische Kontext in Süd-Shantung am Vorabend des Boxeraufstands in China". Hrsg. von ROMAN MALEK. Sankt Augustin – Nettetal 1994, 317 S., Abb. ISBN 3-8050-0350-1
- DAVID LUDWIG BLOCH, *Holzschnitte. 木刻集. Woodcuts. Shanghai 1940–1949*. Hrsg. von BARBARA HOSTER, ROMAN MALEK und KATHARINA WENZEL-TEUBER. Eine gemeinsame Veröffentlichung des Instituts Monumenta Serica und des China-Zentrums, Sankt Augustin – Nettetal 1997, 249 S., 301 Abb. ISBN 3-8050-0395-1
- ROMAN MALEK (Hrsg.), *„Fallbeispiel" China. Ökumenische Beiträge zu Religion, Theologie und Kirche im chinesischen Kontext*. China-Zentrum, Sankt Augustin – Nettetal 1996, 693 S. ISBN 3-8050-0385-4
- ROMAN MALEK (Hrsg.), *Hongkong. Kirche und Gesellschaft im Übergang. Materialien und Dokumente*. China-Zentrum, Sankt Augustin – Nettetal 1997, 564 S., 97 Abb. ISBN 3-8050-0397-8
- ROMAN MALEK (Hrsg.), *Macau: Herkunft ist Zukunft*. Eine gemeinsame Veröffentlichung des Instituts Monumenta Serica und des China-Zentrums, Sankt Augustin – Nettetal 2000, 666 S. ISBN 3-8050-0441-9
- *Gottfried von Laimbeckhoven S.J. (1707–1787). Der Bischof von Nanjing und seine Briefe aus China mit Faksimile seiner Reisebeschreibung*. Transkribiert und bearbeitet von STEPHAN PUHL (1941–1997) und SIGISMUND FREIHERR VON ELVERFELDT-ULM unter Mitwirkung von GERHARD ZEILINGER. Zum Druck vorbereitet und herausgegeben von ROMAN MALEK SVD. Institut Monumenta Serica, Sankt Augustin – Nettetal 2000, 492 S., Abb. ISBN 3-8050-0442-7
- *Martino Martini S.J. (1614–1661) und die Chinamission im 17. Jahrhundert*. Institut Monumenta Serica, Sankt Augustin. Hrsg. von ROMAN MALEK und ARNOLD ZINGERLE. Sankt Augustin – Nettetal 2000, 260 S. ISBN 3-8050-0444-3
- CHRISTAN STÜCKEN, *Der Mandarin des Himmels. Zeit und Leben des Chinamissionars Ignaz Kögler S.J. (1680–1746)*. Institut Monumenta Serica, Sankt Augustin – Nettetal 2003, 440 S. ISBN 3-8050-0488-5